KB195893

2021

1

한남시정신

뻐꾹새 한 마리 산을 깨울 때

김완하

뻐꾹새 한 마리가
쓰러진 산을 일으켜 깨울 때가 있다
억수장마에 검게 타버린 솔숲
둥치 부러진 오리목,
칡덩굴 황토에 쓸리고
계곡 물 바위에 뒤엉킬 때

산길 끊겨 오가는 이 하나 없는
저 가파른 비탈길 쓰러지며 넘어와
온 산을 휘감았다 풀고
풀었다 다시 휘감는 뻐꾹새 울음

낭자하게 파헤쳐진 산의 심장에
생피를 토해 내며
한 마리 젖은 뻐꾹새가

무너진 산을 추슬러
바로 세울 때가 있다

그 울음소리에
달맞이 꽃잎이 파르르 떨고
드러난 풀뿌리 흙내 맡을 때
소나무 가지에 한 점 뻐꾹새는
산의 심장에 자신을 묻는다

1987년 『문학사상』 신인상으로 등단. 시집 『길은 마을에 닿는다』 외. 저서 『김완하의 시 속의 시 읽기』 외. 시와시학상 젊은시인상 등 수상. 국어국문창작학과 교수.

한남의 시정신을 이어간다

박영미(회장)

　〈한남시정신〉은 한남대학교 국어국문창작학과의 시창작 동아리이다. 2000년도에 신설된 문예창작학과의 〈시정신〉으로 출발하여 많은 성과를 낳은 시창작동아리를 혁신하여 〈한남시정신〉으로 거듭난 것이다. 그러므로 이곳은 2000년대 새로운 상상력과 감수성, 언어미학으로 등단한 신예시인 손미(문학사상 신인상), 성은주(조선일보 신춘문예), 박송이(한국일보 신춘문예), 김지숙(시와세계 신인상), 변선우(동아일보 신춘문예), 이근석(본명 전영재, 동아일보 신춘문예)의 뒤를 이어 시인으로 등단하기 위해서 문학을 공부하고 시창작을 펼치는 동아리이다.

　2015년을 넘어서 문예창작학과는 국어국문학과와 통합됨으로써 국어국문창작학과라는 새로운 이름을 갖게 되었다. 그동안 20여년의 성장을 통해서 출중한 시인들을 배출해온 문예창작학과의 동아리 〈시정신〉을 넘어, 2021년에는 한남대학교의 시적 전통과 역량을 이어가고자 하는 염

원을 담아 〈한남시정신〉으로 새로이 거듭난 것이다.

우리는 코로나19의 상황에도 줌(Zoom)을 통한 비대면 방식의 합평과 선배 시인들의 특강으로 시와 창작에 대한 다양한 내용을 공부하였다. 이 과정에서 우리의 문학적 역량은 일취월장으로 성장하였으며 놀라운 성과를 보여주었다. 대면을 피해야만 하는 외적 환경에도 굴하지 않고 오히려 우리들 내적인 결속은 강화되었고, 줌이라는 미디어에 집중력을 보여주기도 하였다. 이러한 결과는 환경의 위기를 넘어서는 인간 의지이자 문학의 힘이라 자부할 수 있다.

우리는 한남의 문학적 전통과 시창작에서 보여준 높은 성과를 자부심으로 받아들이고 있다. 그동안 선배님들이 이끌어낸 빛나는 성취는 곧 우리의 밝은 미래이기도 한 것이다. 선배님들이 일구어온 토양에 우리의 문학적 씨앗을 묻는다면 우리도 선배님들과 함께 어깨를 나란히 할 수 있을 것으로 확신한다. 그 기쁨은 곧 국어국문창작학과의 미래이며 〈한남시정신〉의 내일인 것이다.

우리는 문학에 대한 사랑과 열정을 담아 『한남시정신』 창간호를 세상에 내어놓는다. 존경하고 사랑하는 선배 시인들의 작품과 함께 할 수 있는 것은 무엇보다 우리에게 큰 기쁨이다. 선배님들의 역량은 이미 한남을 넘어서 한국문단의 금자탑이라 해도 무방할 것이다. 그것을 따르고자 하는 의지로 우리의 작품도 함께하였다. 다음호에는 보다 다양한 모습으로 우리의 문학적 성과를 담아낼 것이다. 조금은 서툰 걸음이지만 많은 분들의 관심과 사랑을 기대하며 창간호의 독자로 여러분을 초대하고자 한다.

흔들리지 않는 전통

문병열(학과장)

올해 8월, 퇴임하신 지도교수님의 연구실을 정리하러 갔습니다. 오랜만에 선후배, 동학을 만나 땀이 슬쩍 맺힐 만큼 몸을 움직여 함께 일하다보니 예전의 기억과 감상이 떠오르지 않을 수 없었습니다. 공부하는 사람들이니 책과 관련된 추억이 많았습니다. 전공 서적 한 권이 귀했던 시기, 선생님 연구실에는 학교 도서관에서도 구할 수 없는 귀한 책들이 빼곡히 꽂혀 있었고, 지도 학생들은 틈틈이 그 책들을 빌려 보며 함께 공부했었습니다. 담소를 나누고 지도교수님을 댁에 모셔 드리고 오래된 책 몇 권과 육필로 쓰신 원고를 받아왔습니다.

육필 원고는 국어학개론 등 교과목 강의 노트였습니다. 이렇게 썼다 지우고 저렇게 적었다 고치신 흔적들이 고스란히 담겨 있었습니다. 당신 혼자 보시는, 그저 강의 노트이지만 한 편의 글에 한 점의 오류도 남겨두지 않으시려는 모습을 엿볼 수 있었습니다. 그 시대의 학자라면 으레 갖추고 있는 덕목일 것입니다. 필기보다 타자가 익숙한 우리 세대들에겐 이제 더 이상 찾아보기 힘든 유물과도 같았습니다.

바둑판 위에 의미 없는 돌은 없다고 합니다. 선생님의 글도 그와 같았습니다. 가장 적확한 그 한 단어를 찾기 위해 고심하는 과정은 매우 고통스럽습니다. 그 과정을 겪어 나온 글은 그만큼의 가치와 아름다움을 갖추게 됩니다. 그동안 제가 써왔던 글들을 곱씹어 보면 고통의 과정 없이 허투루 쓰인 의미 없는 단어들이 난삽하고 기괴한 집을 짓고 있는 듯하여 부끄러울 따름입니다. 좀더 완벽한 글을 짓기 위해, 지우고 고치고 다시 쓰는 지난한 과정을 겪어야 함을 다시 한 번 깨닫게 됩니다.

문학을 진지하게 대하는 사람들에게 이러한 글쓰기의 고통은 더할 것입니다. 한 편의 소설, 한 수의 시를 완성하기 위해, 그것의 완벽을 추구하기 위해, 고통의 시간을 기꺼이 감내하는 사람들이 여전히 글을 읽고 쓰고 다듬으며 문학의 순수성을 지켜내고 있습니다. 그렇게 시를 쓰고 소설을 창작하고 작품을 평(評)했던 우리의 선배와 동학, 그리고 후배들이 한남대학교 국어국문창작학과의 역사와 전통을 이어가고 있습니다. 우리 학과에는 이러한 정신이 형질처럼 유전되고 있습니다.

잠깐 주춤한다고 해서, 이러한 전통이 흔들리지 않을 것입니다. 대면하여 모일 수 없다고 이러한 정신이 흩어지지 않을 것입니다. 20여 년 동안, 우리 학과의 한 축을 지탱해 온 〈시정신〉이 〈한남시정신〉으로 다시 서기까지 창작의 고통과 기쁨을 끝내 저버리지 않은 여러분의 노고에 경의를 표합니다.

그 어느 때보다 위로와 희망의 메시지가 필요한 시기입니다. 여기 실린 한 수의 시가, 결코 쉽게 쓰이지 않은 여러분의 글 한 편이, 그러한 역할을 감당할 수 있기를 바라봅니다.

2021

1

한남시정신

 차례

회장__박영미   부회장__김도경
사무국장__권영훈
재무국장__김수진
편집위원__변우림, 최수영

| 권두시 |

| 발간사 | 한남의 시정신을 이어간다 _4

| 축 사 | 흔들리지 않는 전통 _6

인터뷰_화제의 인물

시詩:럽love 콘서트
손미 시인과의 대화
_178

2021년 시의 꿈을 안고
1954년생 신입 김도경
_186

초대시

손 미_ 달콤한 문 외 _15

22_ 폴터가이스트 외_ 성은주

박송이_ 새는 없다 외 _30

38_ 우루밤바로 가는 밤 외_ 김지숙

변선우_ 복도 외 _45

55_ 여름의 돌 외_ 이근석

신작시

박희준_ 잘 알지도 못하면서 외 _64

69_ 하얀 공룡 외_ 김다은

김재광_ 정류장의 시간 외 _73

77_ 슬리퍼의 삶 외_ 강안나

노예찬_ 개미고개 외 _82

90_ 목소리 학원 외_ 이해인

이예송_ 신의 딸꾹 외 __98

105__ 마트료시카 외_ **이윤지**

권영훈_ 죽음을 처리하는 방법 외 __111

116__ 엄마 외_ **김도경**

김수진_ 귀뚜라미 우는 정육점 외 __120

126__ 너는 누구의 수두꽃인가 외_ **박영미**

박지수_ 계절 외 __131

138__ 집 앞 사바나 외_ **박해빈**

백승민_ 어머니 외 __143

147__ 딱지 뒤집기 외_ **변우림**

서지형_ 금덩어리 외 __152

157__ 아빠의 말소리 외_ **양현진**

조혜진_ 나는 이미 너에게 감겨버렸다 외 __163

171__ 경비실 외_ **최수영**

한/남/시/정/신/

코로나19에도 함께 한 시적 열정

_최수영 _194

우리는 만남을 위해 시를 썼다

_김수진 외 _209

시는 어디에나 있다

_유선영 _222

|편집후기|

한남시정신 편집을 마치며

_권영훈(편집장) _230

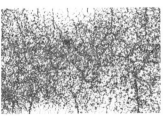

오래된 미래

특강을 마치고 (2007. 6. 29)

특강을 마치고 즐거운 시간(2007. 6. 29)
(손미, 성은주, 박송이, 김지숙 등이 함께한 자리)

　　2007년 6월 29일. 그날은 우리에게 미래였다. 그날의 시작은 2009년 손미의 『문학사상』 신인상으로부터 성은주(《조선일보》), 박송이(《한국일보》), 김지숙(『시와세계』), 변선우(《동아일보》), 2021년 이근석(《동아일보》)으로 이어졌기 때문이다.

초대시

달콤한 문 외 2편 | 손 미

폴터가이스트 외 2편 | 성은주

새는 없다 외 2편 | 박송이

우루밤바로 가는 밤 외 2편 | 김지숙

복도 외 2편 | 변선우

여름의 돌 외 2편 | 이근석

초대시인

손 미 詩人

▶ 등단작
달콤한 문

▶ 대표작
사람을 사랑해도 될까 외 1편

달콤한 문

_ 손 미

초희

붉게 터진 네 아기를 찾으러 갈 시간 너는 맨몸으로 딱딱
한 무덤을 나와 우주에 떠 있는 고아원으로 가자 측백나무
가지가 길게 빠져나온 별 하나를 찾자 언젠가 지나오는 길
에 노란 손수건을 매어둔 것 같은 나무가 있다

스물일곱 송이 꽃이 폈고 비로소 우리는 가장 아픈 꼭지점
에 섰지 토성의 달들이 우리의 소풍을 반겨줄 것이다

초희 달아나자 우주를 향해 네 것인지 내 것인지 머리카
락 뜯으며... 가는 길 어디쯤 앉아 단 한 번만 춤을 추자 네
시를 비웃던 남자와 내 삶을 비웃던 애인이 모퉁이에서 만
나 웃거나 혹은 외면하겠지

문 밖에서 우주가 울고 있다

문을 열면 고아처럼 버려진 것들이 젖을 찾아 온몸에 파고

들어 초희, 우리는 가서 이름 없는 것들의 어미가 되자

　우리, 가는 길 어디쯤 앉아 별의 꼭지를 잡고 단 한 번만 웃
거나 울자 스물일곱 송이 꽃이 졌고,

　사자가 먹은 제 새끼를 생각하는 기린 한 마리가 우리를
배웅해 줄 때 미리 와서 떠돌던 스푸트니크의 개가 마중 나
오는 그림자가 보인다

　자, 이제

* 초희楚姬 : 허난설헌의 이름

<대표작>

사람을 사랑해도 될까 외 1편

사람이 죽었는데 사람을 사랑해도 될까. 밤을 두드린다. 나무 문이 삐걱댔다. 문을 열면 아무도 없다. 가죽을 깨무는 이빨을 자판처럼 박으며 나는 쓰고 있었다. 먹고사는 것에 대해 이 장례가 끝나면 해야 할 일들에 대해 뼛가루를 빗자루로 쓸고 있는데 내가 거기서 나왔는데 식도에 호스를 꽂지 않아 사람이 죽었는데 너와 마주 앉아 밥을 먹어도 될까. 사람은 껍질이 되었다. 헝겊이 되었다. 연기가 되었다. 비명이 되었다 다시 바람이 되는 비극. 다시 사람이 되는 것. 다시 사람이 되어도 될까. 사람이 죽었는데 사람을 생각하지 않아도 될까. 케이크에 초를 꽂아도 될까. 너를 사랑해도 될까. 외로워서 못 살겠다 말하던 그 사람이 죽었는데 안 울어도 될까. 상복을 입고 너의 침대에 엎드려 있을 때 밤을 두드리는 건 내 손톱을 먹고 자란 짐승. 사람이 죽었는데 변기에 앉고 방을 닦으면서 다시 사람이 될까 무서워. 그런 고백을 해도 될까. 사람이 죽었는데 계속 사람이어도 될까. 사람이 어떻게 그럴 수 있어? 라고 묻는 사람이어도 될까. 사람이 죽었는데 사람을 사랑해도 될까. 나무 문을 두드리는 울음을 모른 척해도 될까.

물의 이름

수영을 한다
내가 찔러서 물이 아프다

발전소에서 솟구치는 수증기처럼
나는 나를 밖으로 빼내려 해 보았다
그런 연습만 하는 하루도 있었다

해변에서 맨발로 걸었다
내가 닿아서 네가 아프다

화장실에서 자주 울었다
유령선이 떠내려오고 있었다

땡그랑땡그랑
배수관을 타고 이쪽으로 온다

하루에도 몇 번씩 세수를 한다
얼굴을 가리면서 오는
물의 속을 뒤지면

내가 만져서
물이 아프다

깜빡깜빡 불이 켜진다

몸을 씻을 때
등을 톡톡 치는 물방울

거기 누가 들어 있나

맥박이 뛰어서

두드리며
이름을 불러서

끌려나오는
모든 물이 아프다

손 미

문예창작학과 졸업.
2009년 『문학사상』 신인상 당선.
2013년 제32회 김수영문학상 수상.
한남대학교 강사.

초대시인

성은주 詩人

▶ 등단작
폴터가이스트

▶ 대표작
창 외 1편

〈등단작〉

폴터가이스트

_ 성은주

하늘은 별을 출산해 놓고 천, 천, 히 잠드네

둥근 시간을 돌아 나에게 손님이 찾아왔어 동구나무처럼
서 있다가 숨 찾아 우주를 떠돌던 시선은 나를 더듬기 시작
하네 씽끗, 웃다 달아나 종이 인형과 가볍게 탭댄스를 추지

그들은 의자며 침대 매트리스를 옮기고 가끔, 열쇠를 집
어삼켜 버리지 그럴 때마다 나는 침대 밑에서 울곤 해 스스
로 문이 열리거나 노크 소리가 들릴 때 화장실 문은 물큰물
큰 삐걱대며 겁을 주기도 해 과대망상은 공중으로 나를 번
쩍 들어 올리지 끊임없이 눈앞에서 주변이 사라졌다 나타나
고 조였다 풀어져

골치 아픈 그들의 소행에 시달리다 못해 어느 날, 광대를
찾아갔지

광대는 자신이 두꺼운 화장에 사육 당하고 있다며

웃어야 할 시간에 울고 있었어

천장을 훑어 오르기 위해 어둠 속에서 그들은 그림자를
흔들고 있어

자연스럽게 때론 엉성하게
그러다 접시가 입을 쩌억 벌렸어
누워있던 골목들 일제히 제 넋을 출렁였지
붙어있던 그들은 홀가분하게 나를 떠났어
온갖 소동 부리고 떠난 자리,
무성한 음모만 시끄럽게 남아있네

* Poltergeist : 불안정하게 소란을 피우는 靈

〈대표작〉

창 외 1편

창문을 읽다가
깨진 조각으로 글씨를 썼다

흙에서 피가 났다

붉은 웃음처럼
번지는 방향이 더없이 좋았다

떠나고 싶을 때
돌멩이라고 적고
투명한 페이지를 뜯어낸다

흰 척추는 구부러지지 않고
그냥 깨질 뿐이다

뾰족한 단어가 걸어 나온다

내 옆구리에
마침표 같은 구멍이 생겼다

거짓말 이력서

최초의 거짓말은 여섯 살 놀이동산에서 시작됐다

엄마는 내 손에
풍선 끈을 쥐어주었다
놓치지 마
정말 먼 곳으로 사라지는지 궁금해서
일부러 풍선 끈을 놓았다

엄마 원피스 자락을 붙들고
혼날까 봐
더 크게 울며
놓친 척했다

캉캉 춤을 추던 무용수가
내 최초의 거짓말을 눈치챈 것 같았다
그 후로 종종 거짓말할 때마다
속치마 들썩이듯

넘어지는 꿈을 자주 꿨다

*

함께 차 타고 커브를 돌 때 연인의 머리카락도 길어졌다

우리의 교집합에
또 다른 동그라미가 빗금을 쳤다
당신은 너무 아래에 있어요
계속 그어지던 선
지우는 방법을 몰랐다

긴 통로에서 과일 껍질처럼 앉아 있는
당신을 내가 지워놓고
당신이 날 떠났다고
슬픈 척했다

갓 지은 쌀밥에서 따뜻한 김이 올라올 때
금방 식을 거라 생각했다
매일 같은 이별을 떠들던 내가
분장이 번져
불쑥 그 사실을 들킬 때가 있다

성은주

문예창작학과 졸업.
2010년 《조선일보》 신춘문예 당선.
저서 『시창작과 문화콘텐츠』 외.
한남대학교 초빙교수.

초대시인

박송이 詩人

▶ 등단작
새는 없다

▶ 대표작
나는 입버릇처럼 가게 문을 닫고 열어요 외 1편

<등단작>

새는 없다

_ 박송이

우리의 책장에는 한 번도 펼치지 않은 책이 빽빽이 꽂혀
있다

15층 베란다 창을 뚫고 온 겨울 햇살
이 창 안과 저 창 밖을 통과하는 새들의 발자국
우리는 모든 얼굴에게 부끄러웠다

난간에 기대지 말 것
애당초 낭떠러지에 오르지 말 것

바람이 불었고
낙엽이 이리저리 굴러 다녔다
우리는 우리의 가면을 갖지 못한 채
알몸으로 동동 떨었다

지구가 돌고

어쩐지 우리는 우리의
눈을 마주보지 않으면서
체위를 어지럽게 바꿀 수 있었다
우리는 우리의 멀미를 조금씩 앓을 뿐

지구본에 당장 한 점으로
우리는 우리를 콕 찍는다
이 점은 유일한 우리의 점

우리가 읽은 구절에 누군가 똑같은 색깔로 밑줄을 그었다

새들은
위로 위로
날아
우리는 결코 가질 수 없는
새들의 발자국에게 미안했다

미끄럼틀을 타는 동안
우리의 컬러링을 끝까지 듣는 동안
알몸이
둥글게 둥글게
아침을 입는 동안

우리의 놀이터에
정작 우리만 있다

나는 입버릇처럼 가게 문을 닫고 열어요 외 1편

회전 행거에 오색 양말을 진열해 놓았어요
오세요 오지 않은 발들을 기다리는 일
이게 양말 가게 직원의 하루니까요

메트로놈 45BPM을 켜 본 적 있으세요
느리고 고요한 박자가 이토록 우습고
쓸쓸해 보일 수 있다니

나도 모르게 고개를 까딱거리고 있어요
온종일 양말들 곁에서 말이죠

누군가 한 켤레 혹은 열 켤레를 사가기도 하고
천 원짜리 지폐들이 내 손에 쥐어지기도 해요

관객 없이 무대에 선 저 버스킹 맨은 이해할지 몰라요
동전과 시절을 맞바꾸는 기분을요

성게를 만져본 적은 없지만
따끔한 맨발이라는 건 알 것만 같은 것처럼요

그래선지 저 산 능선이 꼭 홍어 무침을 삼키는 것만 같
아요
모든 게 기분의 문제겠지만요

라면 물이 끓고 있어요
이제 저 버스킹 맨은 어디로 가는 걸까요

발꿈치를 사포로 문지른 잿빛 구름들이
딸 깍 딸 깍 잘도 흘러만 가는데요

비명

한 시인이 죽었다
시인에게는 이름이 있었지만
아무도 그 이름을 섣불리 부르지는 못했다
다만 그 이름은 기사가 되었고 이슈가 되었다
하루 동안 검색 순위에 올랐다가 순위에서 사라졌다

한 시인이 죽었다
시인에게는 시집이 있었지만
아무도 그의 시를 낭독하지는 않았다
다만 시집은 판매 순위에 다시 올랐고 팔려 나갔다
들판을 달려 사람들 집으로 시집이 배달되었고
사람들은 가장 먼저 시인의 말을 펼쳤다

오전에서 오후라는 말이 아무렇지 않게 흘러가고 있었다
어느 집에선가 아이를 마구 때리는 소리가 들렸다
창을 닫으면 해가 떨어졌고 까마귀가 날아 올랐다
날아오른 까마귀는 금세 사람들 눈에서 사라졌고
사라진 까마귀는 또 어느샌가 사람들
곁에서 주억거리고 있었다

한 시인이 죽었다
시인에게서도 시집 그 어디에서도
손은 비명의 언어들만 받아 적고 있을 뿐
위로받을 수 있는 손의 언어와
위로할 수 있는 손의 언어는
너무 짧거나 애매하거나
아예 없었다

바람에 기대어 우는 바람이 차가웠다
사람들이 집으로 걸어가고 있었다
이따금 비명이 들려 왔다
입이 없는 하루살이들처럼 시들었다가
아침이 오면 까무러치며 애통할
일이 발견될 것이었다

박송이

국어국문학과 졸업.
2011년 《한국일보》 신춘문예 당선.
시집 『조용한 심장』, 『낙엽 뽀뽀』 외.
한남대학교 강사.

초대시인

김지숙 詩人

▶ 등단작
우루밤바로 가는 밤

▶ 대표작
스마일마스크증후군 외 1편

〈등단작〉

우루밤바로 가는 밤

_ 김지숙

악보가 사라졌어 지금부터 머릿속의 음을 지워버려 처음
이자 마지막 감정으로 기억에 없는 새로운 음표를 그려봐

우루밤바에 예쁜 처녀가 살고 있었대 나는 우루밤바, 우
루밤바 불러보는데 어느새 계곡에 서 있는 거야 여기는 소
리가 흘러가는 고향

그녀는 뿌리 없는 나무로 만든 빨간 피아노를 연주 했어
어두운 골목에서 별을 바라보는 눈빛을 닮은 소리 였어 그
녀의 손가락은 자주 울음 섞인 노랠 지웠대

악보가 없으니 쉼표도 없어 열 개의 손가락은 너무 긴 계
단, 우리는 즉흥적으로 슬프고 빨간 매니큐어 건반 위를 뛰
어다니지

사라진 쉼표에 아무도 점을 찍어주지 않았어 시간을 오
래 가진 소리는 침묵하며 떨어지는 빗방울 같아 우루밤바

는 밤새 비처럼 내렸어

　기억을 이탈한 음들이 바람 속으로 흘러들어 아무도 눈
치 채지 못했대 계곡이 내뱉는 숨들이 얼마나 그녀와 닮은
울음을 우는지 그녀는 더 높은 음계로 빠르게 건반을 타고
춤추기 시작 했어

　누구도 음악을 읽을 수 없었어 악보는 끝내 발견되지 않
았지 그녀가 빚은 빗물에 닿은 소리들이 밤마다

　우루밤바
　우루밤바

　하늘에 박힌 별은 소리가 남긴 발자국이야 유령처럼 걷
고 있는 중인지 몰라 눈 감으면 별들의 목소리가 들려 우리
는 함께 앓는 몽유병, 소리의 눈물을 완성하지 못하네

〈대표작〉

스마일마스크증후군 외 1편
- 봉제인형

누군가 내 귀를 쓰레기통에 버렸어
귀가 없는 나는 비명도 지르지 못하고
웃는 얼굴이지
정교하게 웃는 나를 보면
당신도 웃음을 터뜨릴지 몰라
웃음주의보는 도시를 떠다니고

어제 핀 웃음이 오늘로 복제됐어
스마일 스마일 킥킥
나는 다정한 도시에서 춤추네
팽팽한 입 꼬리 흔들리며 웃네

당신 숨은 어젯밤 달처럼 시들었어
짜릿한 도주를 시작해
벌어진 상처는 테이프로 붙이고
오늘은 탱탱하거나 말랑말랑하거나

벼랑에 핀 웃음꽃은 바람에 예민하지
우울과 발랄은 새아침을 조율해
불안 온도에 어울리는 음을 골라봐
기쁨과 슬픔의 경계는
바람에 맞춰 피우는 경쾌한 디스코

너의 지구는 기울어
비탈진 어깨에 기대 우린 우호적으로 만나
웃는 얼굴로 진화하는 너에게 말 걸지
눈물 자국 감추려 화장을 하고
무대 위에서 벌이는 웃음, 고정된 웃음들

당신이 무심코 지나친 아침
바람 빠진 해 머리 위에 떠오르고
어제보다 긴 그림자 나를 따라오네

그림자놀이

쉽게 잠들지 못했다

두려운 건 새벽을 혼자 견디는 일이 아니라 꽃잎에 달라붙은 그림자, 그림자… 나무가 말했던가, 몇 개 그림자 떨어지는 동안 꽃잎은 떨었던가, 그래, 꽃들의 묘지에는 꽃잎 대신 그림자, 그림자,

그림자나 던져주고 지는 해를 향해 울고 있는 나무야 바람 불면 물결처럼 출렁이는 그림자, 나는 뒤꿈치가 저려 견딜 수가 없는데 다만 눈물에도 젖지 않는 그림자

어제 핀 달은 생채길 새기고 아물지 못한 자리에 다시 피어나는 달 달 무슨 달 熱病처럼 아픈 달 어디 어디 폈나 그림자 위에 폈어

마음이여, 새벽을 지나서 身熱 속에서 조각조각 뒤섞이는 그림자의 그림자, 그 합침의 소리를 나는 견딜 수가 없다 그러나 내가 안을 수도 없는 그림자여, 아침, 점심, 아침,

밤잠… 저녁을 거르고 허기진 배를 쥐고

　이제 꽃잎은 철거되고 봄밤은 폐쇄되겠지만 달빛 읽어내
는 숨소리, 나의 창은 흐느낄 것이다 여명 속에서 그림자와
그림자가 만나는 동안 나무는 아프게 제 骨를 꺾어야 했는
지, 넋이, 자꾸, 목에, 걸려… 아물지 못한 것은 비명을 삼
키며 온다, 밀려온다, 꽃 진 가지에 피어난 초록, 그토록 위
독한 이유를 아는지

김지숙

문예창작학과 졸업.
『시와세계』 신인상 당선.
저서 『시창작과 문화콘텐츠』 외.
대전문화재단 문학관운영팀 차장.

초대시인

변선우 詩人

▶ 등단작
복도

▶ 대표작
현대시작법 외 1편

복도

_ 변선우

　나는 기나긴 몸짓이다 흥건하게 엎질러져 있고 그렇담 액
체인 걸까 어딘가로 흐르고 있고 흐른다는 건 결국인 걸까
힘을 다해 펼쳐져 있다 그렇담 일기인 걸까 저 두 발은 두 눈
을 써내려 가는 걸까 드러낼 자신이 없고 드러낼 문장이 없
다 나는 손이 있었다면 총을 쏘아보았을 것이다 쾅! 하는 소
리와 살아나는 사람들, 나는 기뻐할 수 있을까 그렇담 사람
인 걸까 질투는 씹어 삼키는 걸까 살아있는 건 나밖에 없다
고 고래고래 소리 지르는 걸까 고래가 나를 건너간다 고래
의 두 발은 내 아래에서 자유롭다 나의 이야기가 아니다 고
래의 이야기는 시작도 안 했으며 채식을 시작한 고래가 있
다 저 끝에 과수원이 있다 고래는 풀밭에 매달려 나를 읽어
내린다 나의 미래는 거기에 적혀있을까 나의 몸이 다시 시
작되고 잘려지고 이어지는데 과일들은 입을 지우지 않는다
고래의 고향이 싱싱해지는 신호인 걸까 멀어지는 장면에서
검정이 튀어 오른다 내가 저걸 건너간다면… 복도의 이야기
가 아니다 길을 사이에 두고 무수한 과일이 열리고 있다 그
안에 무수한 손잡이

<대표작>

현대시작법* 외 1편

몽상의 두뇌를
한 숟가락 떨어내 우유에
타 마신다

한 컵 다 마신다

가뿐해진다

불투명은 외면하고
투명과의 연대를 감지한다

잠잠히…
물렁한 알사탕 집어먹는다

보이는 것 다
집어먹는다

치아에 죄다 들러붙었음에도

배가 좀 불러온다
배를 둥기둥가 두들기며

눕는다

손을 포개 가슴에 얹고
눈을 감으면

누군가** 나의
구석구석을 닦아준다

눈을 뜨면
푸른 초장 위에 누인 것이다

일어나면
걸죽한 우유 한 컵 머리맡에
놓인 것이다

모카빵은 없어 좀
서운해진다

그럼에도 한 컵 다
마신다

오장육부가 요란해지더니

호랑이 무리가 먼 동쪽에서
내질러온다

나는 호랑이가 되고 있으며

코끼리 무리가 먼 서쪽에서
내질러온다

나는 코끼리가 되고 있다

나는
호랑이와 코끼리의 어중간으로서
대단히 노닐고 있다

별안간
무한을 상속받은 것처럼

이렇게 까불면…
누군가**의 총에 맞는 것이다
다들 달아나버리고 나만

생을 달리하면

깜짝 놀라 식탁에 앉아
곱창전골을 먹고 있다

고추장아찌도 한 입 먹는데
너무 매워

속이 뒤집어진다

가족들이 깔깔댄다
나는 이다지도 깔깔의 제물로써

냉장고로 달려가 컵 한 가득
우유를 따른다

한 컵 다 마신다

어딘가 털터름하다

그러므로
암전

* 선생님의 저서와 이름만 같은 쓰니의 시작법이다.
** 동일인물? 이건 쓰니의 버릇 같은 의심이다.

나는 시집이기 이전에, 투박한 팝업북이었습니다

1

이것은

어디론가 나아간다는 전제 하에 작성된 기록물이다. 기어가고 흘러가서 내가 무언가라도 될 것만 같던 시절의 추억인 거. 네모진 빈 칸을 품에 안고는 스르르 잠들던,

고단하고 어수룩하던 그 시절. 나는 지금 무얼 하며 사타구니나 주무르고 있는 걸까. 바람도 시대도 멈추었는데.

2

벼락 맞은 문장은 매력 없다. 벼락 맞을 시발새끼는 책임감이 없다. 생동하고 엉뚱하던 헛바닥을 입 밖으로 꺼내놓곤, [내 잇몸에 대고 속삭여 보시오.] 와 같은 질의는 뭣도 없어 혹자들을 뒤로 나자빠지게 만든다. 그렇담

시적인 삶이란 과연, 무얼까. 이것은 먹다 남은 고등어조림 같은 발상인 거. 성가시고 어스러져서… 나는 나를 감각하지 못하게 되는 거다. 그 때부터였을까, 내가 나를 이해하

지 못하게 된 게⋯.* 애꿎은

문만 벅벅 찢으며 간다. 입을 주체하지 못해 웃는다. 이
따금 파안대소인 건데, 발밑에 있던 비둘기 몇 마리와 화초
몇 개가 터져 죽고, 나는 방광이 빵빵해지는 상상에 함몰되
기도 한다. 바나나를

우적우적 까잡수면서 벼락을 맞기도 하는데! 이 장면은
죽기 직전에 생각날 것만 같다. 그런데 [당신들은 나를 모른
다. 그만큼 나도 당신들을 모른다. 그래서 서로가 서로를 원
해버린 거다.] 조의 캠페인이

내 속에서 복창된다. 나와 내가 싸우는 것만 같아서 온점
처럼 다부지게 맨주먹을 쥔다. 나는 사라지고 있는 발목과
꼬리를 바라보며 흐느끼기 시작하는 거다. 일순간에 [안녕
하세요. 여기서부터는 흐느낌의 바다, 흐느낌의 망망대해
입니다.] 안내문구가 나타나

혜엄을 쳐야 해서, 나이기 전에 무엇이었을까, 시나브로 궁금해지는 거. 아가미였을까. 배드민턴 라켓이었을까. 나에게 있어 껍데기 정신은 주요한 것이므로 방금 전부터 친절한 옥수수가 되어 처형을 기다리고 있다. 옥수수 알갱이를 떨구면서 악보가

없다, 내 속엔, 고백하면서. 스스로가 채워지지 않은 바게트 빵 같기도 해서 어디서도 씹혀본 적 없이… 존재하는 거다. 돌아나갈 엄두가 나지 않아 막판을 열었는데 모두 쓰러져 있다. 하얀 내벽엔 가지런히 틀니가 장식되어 있다.

내가 개운해지기도 전에 무슨 일이 있었던 걸까.
누가 내 응가와 혈액을 살포해서 이 지경이 되었을까.

* 유행하는(던) 말이다.

변선우

문예창작학과 졸업.
2018년 《동아일보》 신춘문예 당선.
'0' 동인.
『시와정신』 편집장.

초대시인

이근석 詩人

▶ 등단작
여름의 돌

▶ 대표작
아쿠아 외 1편

<등단작>

여름의 돌

_ 이근석

　나는 토끼처럼 웅크리고 앉아 형의 작은 입을 바라보았다. 그 입에선 미래가 흘러나오고 있었다. 형한테선 지난여름 바닷가 냄새가 나, 이름을 모르는 물고기들 몇 마리 그 입속에 살고 있을 것만 같다. 무너지는 파도를 보러 가자, 타러 가자, 말하는

　형은 여기 있는 사람이 아닌 것 같다.

　미래를 이야기했다. 미래가 아직 닿아있지 않다는 사실이 형을 들뜨게 했다. 미래는 돌 속에 있어, 우리가 아직 살아보지 못한 이야기가 번져있어, 우리가 미래로 가져가자, 그때

　우리는 서로를 바라본다.

　그동안 우리는 몇 번 죽은 것 같아. 여름, 여름 계속 쌓아 올린 돌 속으로 우리가 자꾸만 죽었던 것 같아. 여기가 우

리가 가장 멀리까지 온 미래였는데 보지 못하고 우리가 가져온 돌 속으론 지금 눈이 내리는데

내리는 눈 이야기를 하기 시작한다. 내리는 눈 속으로 계속 내리는 눈 이야기. 어디로 가는지 모르고 우리가 우리들 속으로 파묻혀가는 이야기들을

우리가 했다.

전화벨이 울렸다, 계속
전화벨이 울리고 있다

〈대표작〉

아쿠아 외 1편
- 안부

　영원하다 쓰다가 여전하다고 적습니다 여백을 두지 않으
려 가져온 말들이 더 여백 같습니다 물고기들 까만 눈이 화
석 빛으로 말라갑니다 이 까만 빛을 적고 싶은데 어둡다는
건 어둡다는 것

　문이 있습니까 나는 나의 말을 가장 먼저 듣는 사람입니
다 물속에서 이는 말이 물속에서 울립니다 누구의 말도 아
닌 나의 말들 어젠 수족관에 가서 물고기가 되어 돌아왔습
니다 시칠리아산 열대어가 내 몸의 지느러미를 자꾸만 부
르고 저는 이제 인간의 눈빛을 버릴까요

　인사의 기원이란 장례 의식 같은 것 나는 묻거나 답하는
사람으로선 실패합니다 희미한 독백이 있고 그것보다 더
희미하게 편안하십니까, 나는 여전합니다 이렇게 말하는
혀들이 있고

　내가 죽을 얼굴 안에서 내가 매일 살아내고 있는 당신은

무엇입니까 내 몸에 푸른 이끼가 일어날 때 당신은 무엇입니까 공허한 말들에 이목구비 앓아야 하는 시간이 옵니다 그때 나는 당신에게 무엇입니까

　얼굴과 얼굴 안에서 우리는

건강한 하루

　세계는 번호로 가득 차 있고 기분이 있다 한 자리 오랫
동안 세워져 있는 차 구르지 못한 여름 같은 것들을 생각
해보고 있다

　천천히 차가 주저앉고 있었다 그 속도로 여름이 지나갔
다 매미들 가득 우는 소리를 모아놓은 병을 나중에는 여름
이라 말할지 모르고

　잘못 온 청구서가 있었다 이곳에 그는 더 이상 살지 않는
다 *모월 모일 모시 청주서 과속한 익산의 이현경*, 정도로 그
것은 읽힌다 우리는 대립하지 않고

　옥상에 계급적인 빨래가 있다 빨래는 주위를 소외시키
며 아주 먼 나라까지 다녀온다 피렌체의 두오모 그러니까
현실을 넘어

사람과 기계가 사랑하는 영화가 있다 사람이 기계가 되는 영화가 있다 기계가 사람으로 걸어와 말을 건네는 이곳과 그곳은 멀고 여기엔

지문으로 여닫는 세계가 있다 클릭으로 볼 수 있는 숲과 새와 나무와 내가 사랑하는 사람들이라고 말하는 공동체가 있다 이상한 뿔 같은 일들이 매일매일 일어나는

이복형제들처럼 그들이 살고 있다 혁명이 자주 일어났고 사람들은 보이지 않는 피를 흘렸다 화해를 위해서 손을 맞잡고 전쟁은 건강에 나쁜 거니까 입을 맞추며

알 수 없는 일은 곤혹스러운 일은 더 이상 일어나지 않았다 이상하다고도 말하지 않았다 우리는 우리 자신으로 맹렬하기 때문에

진심 어린 사람들이 자신만의 아주 긴 산책로를 걸었다

이근석

문예창작학과 졸업.
2021년 《동아일보》 신춘문예 당선.
윤동주 대학문학상 수상.
본명 전영재.

한남시정신 |

신작시

잘 알지도 못하면서 외 2편

_ 박희준

함부로 말하지 마세요 거꾸로 매달려 있어도 똑바로 봅니다 머리에 눈이 대부분이지만 실은 냄새에 민감해요 엉덩이가 매력적이네요 당신이 배설한 것들을 기다려요 나의 비행은 늘 불안합니다 무리를 이끌고 당신을 물어뜯으며 번식하죠 탁월한 반사신경은 공동체의 필수 요소입니다

우리는 창문에서 태어나 윈도우에서 죽습니다 뼈가 없어서 수많은 당신을 낳을 수 있습니다 우글거리는 알들이 딱딱한 껍질을 뚫고 또 다른 비행을 준비합니다 부유하는 먼지처럼 방향이 없습니다 말을 아껴야 합니다 이 또한 제가 날갯짓을 멈출 수 없는 까닭입니다

우유는 건강해야 한다

개봉 후에는
재활용만 생각하기로 합니다
몸 안에 고여 있는 정액이
저온 살균된 치마를
들추는 순간입니다
균형 잡힌 연애를 위하여
가급적 빨리 드시기 바랍니다

유통기한 상단에 표기
얼굴을 천천히 뜯어봅니다
어리면 어릴수록 좋습니다

원산지에 속지 마십시오
이름은 묻지 마십시오
반대쪽으로 여십시오

본 제품은 소비자 분쟁 해결 기준에 의거
완전식품이 아닌 것을 밝힙니다

누군가 태어났습니다
교환 또는 보상받을 수 없습니다

우린
모텔 앞에서 헤어졌습니다

휴지는 휴지통에

나는 자주 역을 지나쳤다

그리고
터널 속에 터널이 있다
궤도를 이탈한 의자의 모서리들
손잡이는 뒤틀리며 휘어지고

흩어지며 포개지는 사람들
발바닥의 맥박이 들린다면
우리가 터널 밖으로 나간다면
또 다른 의자를 만들 수 있을까

사이의 감정과
사이의 얼굴과
사이의 반복과

바퀴에도 각이 있다
나는 준비되지 않았을 뿐

아무도 알아보지 못할 것이다

거대한 그늘 밑
비행을 준비하는
앞뒤가 없는 활주로

나는 자주 책상을 지나쳤다

박희준

문예창작학과 졸업. 《중도일보》 편집기자 역임, 남이섬 주
식회사 홍보마케팅 책임매니저 역임. 현 강아지숲 테마파
크 홍보마케팅팀장. 제1회 한남문인신인상 시 수상.

하얀 공룡 외 2편

_ 김다은

백지의 두려움과 맞서려고

책상 위에 하얀 종이 한 장 올려놓았다

한참을 앉아 있다가

하얀 종이를 한 손으로 마구 구겨버렸다

두려움은 이길 수 없어도 백지는 이길 수 있으니까

그날 밤 꿈에는

크고 하얀 알 속에서

작은 공룡 여러 마리가 기어 나와

내 잠을 마구 밟고 다니며 괴롭혔다

양파를 사랑한 구름

땅속에서 자라난 양파는
구름을 본 적이 없다
하늘의 구름은 양파를 알고 있다
동글동글한 주황 몸을 잊을 수 없다

어느 날 땅 속으로 이사한
양파를 본 구름은 그날부터
매일 양파 위에 떠 있었다

구름은 양파가 더울까 싶어
몸을 펼쳐 해를 가려주었다
양파가 추울지 몰라 금세 몸을 웅크렸다

양파가 잘 자라기만 바라던 구름은
양파와 하나 되고 싶은 욕심에
비 되어 내려와 양파 속으로 스몄다

스페인 광장은 왜 스페인 광장이어서

토요일 오후
사람 손길 기다리는 고양이가
꾸벅꾸벅 조는 시간

영화 소개해주는 프로그램에선
흑백 화면 앤 공주가
스페인 광장 계단에 앉아
젤라또를 먹는다

내 입안에선
지난 여름
아직 공사 중이었던 스페인 광장
스푼은 인사이드 폼피 티라미수가
녹아드는데

엄마는
스페인 광장?

너 스페인도 갔다 오지 않았어? 한다

나는,
응· 근데 그건 로마에 있는 거야 하고
다음에는 같이 가보자는 말은
폼피 티라미수와 함께 삼키고

괜히 어디 가서 그런 얘기하지 마
창피하니까 한다

김다은

문예창작학과 졸업.

정류장의 시간 외 2편

_ 김재광

정류장으로 흰 개 한 마리 발발 떨며 들어온다 젖통이 찬 바닥에 질질 끌린다 정류장 낡은 벽 사이 칼바람 들어와 어미개의 뒤통수를 따갑게 후려친다 조금 비켜서도 될 것을 벽을 등진 채 바람 막고 있다

워이, 워이, 내쫓고 싶지만 차마 입이 떨어지지 않는다 개의 주둥이 속으로 콧물이 흘러든다 어미 개의 눈동자에 내 모습이 비춰며 소리치고 발길질한다 놀란 녀석 찍소리 없이 도망친다

막 들어선 버스에 오르는데 누군가 내 발뒤꿈치 자꾸 핥는다 어찌 섬세한지 혀에 돋은 미뢰까지 생생히 느낀다 빨리 타라는 기사의 짜증에 밀려 다급해진다 가야 하는데, 제발 먼저 들어가지 추운 곳에 사서 고생하십니까 녹여진 한쪽 발이 정류장에 뿌리를 내리면 좋겠다 함께 이 추운 겨울이라도 날 수 있도록

버스 기사의 언성이 높아진다 아저씨, 제발 봄까지만 기다
려주면 안 될까요 그러면 걱정 없이 집으로 돌아갈까 해서요
돌아서면 업혀왔던 작은 등이라도 바라볼 수 있을까 해서요

정류장의 시간이 더디게 흐르고 있다

복어의 독

아버지는 복어다 어항에 몸집을 부풀리지만 도마 위에선 그저 바람 빠진 복어다 가시가 힘없이 바들바들거린다 도마 위에 있던 복어가 다시 어항에 들어올 때 나는 이끼 사이로 숨는다 그사이 몸집이 커져 있다 이제 어항이 비좁다

발가벗은 아버지 욕실로 들어온다 목욕은 혼자 한다고 욕조의 물이 흘러넘친다 욕실이 작아진다 아빠 등 좀 밀어줘 등에 있는 가시가 힘없이 바들거린다 욕실이 넓어진다 사이가 멀어져간다 나는 욕조 안으로 헤엄쳐 도망간다

베란다에 담배연기가 넘어온다 복어의 입에 담배가 물려 있다 들이쉬고 내쉴 때마다 커지기만 했던 모습, 한없이 작아진다 어항 안에서 도마 위에 올라간 듯 숨을 헐떡인다 당신은 나를 지키기 위해 독을 숨겨왔다

가까이 가면 가시에 찔릴 것이라 생각했지만 아버지에게 독은 나였다 기침을 멈추기도 전에 나를 보고 웃으며 욕실로 들어간다 등에 돋아난 가시 끝내 눈을 마주치지 못한다

색의 감정

　사실 세상에 정해진 색은 없다 그가 원하는 색만 있는 것
물감을 골라 칠하면 그만이다 즐거웠을까 외로우니 물감을
들었으리라 그는 그녀를 보았다 그녀를 물감으로 칠했는가
물으면 아니라 대답한다 이만큼 아름다운 색은 없다고 한다
그는 안달이 나 그녀와 떨어지고 싶지 않았기에 자신을 흑색
물감으로 칠하고 그녀의 그림자가 되어 늘 붙어있고 싶었다
스스로 어두워질수록 중요한 사실을 망각한다 그가 원하는
색으로 칠할 때 존재로 드러날 수 있다는 것, 그러나 누군가
의 그림자가 되면 더 이상 스스로 존재하지 못한다는 것을.

김재광

문예창작학과 졸업.
식음료 회사 전략기획실 근무.

슬리퍼의 삶 외 2편

_ 강안나

누가 벗어놓은 형태가
슬리퍼의 삶이 되었다
슬리퍼는
벗겨진 모양 그대로 살았다

누군가 슬리퍼 위로
영역으로
다른 것을 두고 가기도 하였는데

슬리퍼는 일상의 영향을 받은 채
한참을 또 살았다

때로는 무게를 견디는 일만으로
사는 존재이기도 했다

사막의 안개꽃

냄새가 벽에서 쏟아진다
발걸음을 듣는 동안
겨울이 간헐적으로 온다

청초한 빛으로 죽은 연탄재를 밟고
흙에 열쇠나 십원짜리 하나를 파묻으며
이름 없는 규칙 속에서 신이 난 낮

노을의 메아리
뿌리가 얇아지고야 마는 견고한 대리석

늦더라도 전화를 걸기로
장독대를 두 번 두드리기로
손가락이 서로 구부러졌다
옥색 눈빛이 오고 가도 믿을 수 없어
전신을 잡는다
호흡이 지루해지면 떠난다

뒤축을 끌며
초연한 사막을

부르지 않은 대답
안개꽃 한 다발로 마저 떠난다
냄새를 얼려두기로 했다

바깥의 나무

몸이 땅으로 기우는 것은
시간을 견디는 예의라 하겠다

혼자 태어난 창문은
적지 않은 나이에 울었다
마른 쌀알 같은 슬픔
우수수 소리 내어 쌓이는 것이
때로는 몸 밖에 있기도 하였다

몇 해를 머문 감기
나뭇잎 입김에 쉽사리 서리가 꼈다

베어지고 난 몸통을 보며
나무였을 이름을 묻는다
비명처럼 떨어뜨리고 간 낙엽이
날카롭게도 운다

둥근 여행을 하는
어떤 가죽의 내용과
어떤 이름으로 여겨지는 죽음과
어떤 형태의 조화

온기에 대한 막연한 예민한 그리움인 것이다

강안나

문예창작학과 졸업.

개미고개 외 2편

_ 노예찬

그런 생각을 한다 그런,
특정되지 않은 풍경은
특정되지 않은 사람에게
수만 가지 생각들을 던진다
검은 색으로 치장한 나는
풍경에게 들키지 않기 위해
몸을 수구린다

3호차 서울행 5A
창가측 사람 A와 B 그리고 C는
나의 몸 수그림은 이해하지 못하고
도로 핸드폰만 만지작거린다
언제부턴가 풍경들은 사람들을
어려워하기 시작했다

자신감 있던 시인들도
모두 거세당했으니 풍경을
볼 사람도 사라졌다

화는 났지만 화를 내지 않았다
그런고로 나는 풍경을 마주할 수 없다
몸을 구부린 채
90분 기차를 물었다

오랜만입니다,
아니요 오래되지 않았습니다

형은 쓰러졌다
처음 눌러보는
1, 1, 9
적막
여기에 사람이
사람이 움직이지 못해요
몸이 춥고 걷지 못해요
말도 못해요 오전까지 괜찮았는데
백신은 안 맞았어요 모르겠어요
감사합니다

*

무슨 생각을 그렇게 했을까
무언가를 이야기했지만
아무것도 만들어내지 못한
나는 쓸쓸하게 죽어가는
형을 쓸쓸하게 만져가는

나에게 무수한 잡념이 찾아왔다

피곤하지 않았다
계속 깨어있고 싶었다
시간이 아까우니
계속 살아있고 싶었다
나도 그렇게 쓰러지면
누가 나를 들어줄까
나를 누가 이야기할까

목이 마르다
목이 마르니 글을 쓰자
내 이야기를 여기에 적어
이상한 기운을 남겨놓자
과로사에는 눈물도 없지
진정제를 맞고 화면을 바라보지
흰 화면, 검은 화면, 횡단보도?

일어나지 않은 일을 걱정하며
잠을 자지 않는 나는
아무나에게 전화를 걸었다

*

오랜만입니다
아니요, 오래되지 않았습니다

넌, 따라쟁이

해야만 한다의 핵심에서

존재해야만 한다를 알아차렸을 때[1]

열려면 잠금해제 숫자를 파악하세요

1	2	4	6
78	7	8	55
48	66	9	100
93	11	10	34
98	13	19	22
아래	14	12	19

---

1) 에마뉘엘 레비나스, 존재에서 존재자로

아저씨가 죽었습니다. 아버지가 죽었을까? 그건 사람과 비슷한 사람이 아닌. 나는 괴물의 노래를 부르면서 벌레에 식겁했고 산을 찍길 좋아했지만 등산을 두려워했다. 그건 놀랍게도 가까운 죽음과 가까울 것 같아서 한동안 손톱을 물어뜯었다. 나는 나에게 알 수 없는 시를 지어주었고 거기에 큰 글씨로 아버지와 아저씨라고 적었다. 무슨 이미지인지 의미인지 지금까지도 파악하지 못했다. 그래도 확실한건 말을 많은 사람을 조심해라. 나와 나는 거울에 다다라서야 이마를 맞댈 수 있었다.

나는 나를 봤지만 절대로 봤다고 하지 말 것.

그래서 아저씨는 어디로 갔을까. 아버지는 오늘도 주무신다. 밤이 되어야 일어나고 낮이 되면 다시 주무신다. 나는 나와 반대로 길을 나선다. 이상한 묘사들이 일어난다. 핸드폰이 더 이상 작동하지 않고 노트북은 켜지지 않고 그 어떤 소리도 들리지 않았던. 혼란과는 다른 혼란에서 익숙함을 느꼈고 더 어두워지길 원했다. 아직은 밝다. 오늘은 밝다. 아직 나와 나는 솔직하지 못하다.

가장자리. 가장 밝게 빛나던 나의 자리.

　집 뒷산. 이름도 없던 산이 이름을 얻었다지. 내가 알고 있던 이름이랑 달라서 또 놀랐네. 그런데 왜 나는 아직도 이름을 고정하지 못하고 있지. 여유를 부리고 싶을지도 모르지. 나는 언제나 아팠고 슬펐고 외로웠으니까. 나를 잊어줬으면 좋겠지만 때로는 잊지 말아줬으면 하고, 저녁마다 캔맥주를 마시면서 나쁜새끼, 미친새끼, 씹새끼 뇌에서 뇌로 외쳐주면 그나마 살아있음을 느끼니까. 오늘도 출근해야지. 내일도 출근해야지. 쉬는 건 새벽이면 족하니까. 나는 내 목소리를 들을 수 없지.

　눈에 보이는 것만 믿었다
　보여지는 것은 늘 만져지지 않았다

노예찬

문예창작학과 졸업.
대전에서 로컬크리에이터로 활동.

목소리 학원 외 2편

_ 이해인

걷는 사람에게는 땅을 보고 걷는 일이 전부였지만
고개를 들면 나무가 나무처럼 보였다

모든 게 확실하지 않았다
나무는 걷는 사람이 걷는 방법을 까먹게 했다

나무는 벽을 가능하게 하는 습관으로 서 있다가
어떤 벽은 반듯하고 어떤 벽은 비스듬해서
매번 다른 목소리를 냈다

점자 같은 울퉁불퉁한 벽을 이해하며
이것밖에 남은 게 없다는 듯
살아 있기도 했다

나무는 여러 개의 목소리로 걷는 사람을 불렀다
걷는 사람은 나무에게 다가가 나무의 목소리를 들었다
어떤 나무들은 용기가 필요해서 오래 서 있어야 했다

그러자 걷는 사람은
나무처럼 말하게 됐다
나무의 목이 내는 소리를 실감하게 됐다

안다고 여겼던 것들이
잎사귀 틈으로 쏟아졌다
땅이 쏟아졌다
징그러워서
다시는 징그러운 것을 쏟지 않으리라 생각했다

언젠가 걷는 사람은
하루 종일 나무를 바라보며, 바라보다가
부른 사람은 없지만
누가 이 곳에 올 것 같아서 소리를 냈다
누가 이 곳에 오지 않을 것 같아서
소리를 냈다

말에 가까울 수 없지만

그건 아무래도
목소리였고
걷는 사람은 나무 소리를 내며
나무를 멈추지 않았다
나무가 되었다

패턴

두 갈래 길이 나오면 맘대로 걷지 않고 뒤돌아보던 사람
어느 쪽이냐고 물어보던 사람 무엇을 묻는 사람의 목소리
에는 무엇을 기대하는 마음이 담겨 있어서 눈처럼 투명한
그 마음에 내 입은 늘 초라해졌고 이 지겨운 사실만이 지겹
도록 새로워졌다

  이런 서술은 비참하다 이런 나열은 비참해

너와 있으면 내 손가락이 계속해서 굽었고 네가 어느 방
향을 가리키건 나는 그곳이 있다고 믿으며 움직일 수밖에
없었고 신기하게도 그곳에는 자욱했던 안개가 사라지고 없
었지만

나는 이제 네가 없는 길 위에서 너를 따라 걷는다

그게 또 다른 안개가 된다

나는 나를 죽일 듯이 미워했고 나를 사랑하는 너를 죽일

듯이 미워했고 나를 제외한 모든 것이 내 전부라는 사실을
미워했고

미안해
네가 나와 함께 걷지만 않았어도

두 갈래 길이다
손가락을 펴본다
손가락은 두 갈래보다 더 여러 갈래로 나뉜다
나는 바닥에서 목까지 되돌아간다
갈래가 되기 전 하나의 길을 생각한다

어느 쪽이야?

네가 뒤를 돌아보고
아아, 뒤를 돌아보는 일은 눈을 맞추는 일이구나

길은 여전히 나뉘어져 있고

미안해
미안해

네 이름이 미안해도 아닌데
미안하다고 말하면 네가 뒤돌아본다

미안해

미문

　수저가 잠겨 있다 수저 속에는 내가 잠겨 있고 나는 떠먹
는 사람 스프를 오래오래 저어서 슬퍼진 사람 끈끈한 것이
목에 눌어붙으면 나는 가만히 죄에 빠진다

　이가 나간 접시는 생각보다 단단하고 스프가 너무 뜨거
워서 한 사람을 젓는 일은 이제 그만하기로 한다 어떤 스프
는 삼키고 삼켜도 냄새가 사라지지 않고 내가 젓는 스프는
아주 뻔해서 이 접시를 깨뜨려도 좋다

　영원히 기울어진 젓는 손/눈이 내릴 것 같다/스프보다 하
얀 눈이/수저를 움켜쥔 손을 닮아 마르고 둥글고 우울한 눈
이/스프 위에 새겨지는 방향들을 따라가며/나는 어디에서
부터 시작됐을까/내 죄는 어디에서부터

　계속해서 스프를 젓는다 저으면 젓는 것들이 따뜻하게
식고 끈끈하게 살아 있고 한 번 더 저어야 하고 한 번 더 저
으면 한 번 더 저을 수밖에. 입술에 묻는 죄를 계속 핥는 식
탁이라면 언젠가 내 죄를 말할 수 있지 않을까 언젠가는 하

나뿐인 그 죄를 돌봐주며 밥을 먹이고 재울 수 있지 않을까
친구가 되어 용서할 수 있지 않을까

　창밖에 눈이 내린다 이 시간이 불가능해서 빛으로 얼굴
을 닦기 전까지 이 나간 접시와 수저가 살아 있다 너무 많이
저어 식어버린 스프의 말끔함으로 스프는 불투명해서 내가
보이지 않고 그래서 더 뚜렷하고 나는 여전히 젓는다 저으
면 저어지는 것들과 저어도 저어지지 않는 것들과

이해인

문예창작학과 졸업.
로컬크리에이터.

신의 딸꾹 외 2편

_ 이예송

우리 우연히 살아있는 거지

저 멀리 누군가 헛디딘 발에 밟혀
갑자기 당겨진 실처럼
그런 우연으로 실은 실이 아니게 된다

타래가 내 손에 있다면
감아지고 풀어지는 일이 여기서
일어난다면

하지만 실이 실됨은 내 손과 무관하다

왼쪽오른쪽왼쪽오른쪽왼쪽으로 얽힌 실들을 하나로 엮
으면서

사람들이 아픈 것은
누가 주는 사인일까, 생각할 때

모두는 커다란 그늘 아래 살고 있다는 걸
도롱뇽이 하늘에 걸린 날 알고 말았지

아픈 사람들이
하루아침에 사라진다면

거짓말처럼

아직 사람들은 아프다

모두는 우연에
대비할 것

차의 의미는 큰 수에서 작은 수를 뺄 때 생긴다
무조건 큰 수에서 작은 수를

파자(破字)

포크

평생 찌르며 사는데
그게 무엇인지 알고 싶어 하는 사람 드물다
사과를 잊어버렸다

곰국

거기 곰의 입장은 없는데

글자를 깨뜨려야 하는데

사과는 애초에 있던 적 없다 바람 산란하고
그들의 배꼽 알알이 나뒹군다 먼지처럼

치즈

구멍 개수만큼 허무하다 무한히 들어가는 손가락

노란 눈곱을 낳는

졌어
좋아하는 새가 있어? 물으면 대답 없는 이곳에
여직 세워진다

오래 살 수 없는 집이
끝도 없이 어떠한 빛도 없이

뭄 테이블

편지 보내는 곳에서 일해
손끝이 마르고 잘 베여

선생님 말에 초가 탄다

짧아진 초만큼 나눈 대화

백합꽃 같은 종이 한 면을 곱게 미는
선생님 손을 상상한다

손목은 인연을 흡수하는 부분이라던 점쟁이 말이 떠오
르고

초 너머로
발간 얼굴이 일렁인다

잔을 들면 술을 줄게

잔을 감싼 손을 감싸는

선생님에게 쓴 편지를
선생님에게 가져가면 어떻게 되나

자리에서 열릴까 숲에 묻을까 몰래 베고 잘까

편지가 젖을 수도 있지 않을까

마시는 사람에 따라 주량이 달라진다며
테이블에 원을 그린다

선생님 몸으로 쓴 시가 몇 개 있는데

(고개가 엇갈린 프랑스인처럼 우리는
인사를 하려다 키스를 해버린 거라고)

자리를 잃는 것은 순식간으로 쉬운 일

골목을 빙빙 돌다
벽을 쓰다듬고 떨어지는
종이비행기처럼

정신을 차려보니
초가 거의 다 타고 있다

이예송

국어국문창작학과 4학년.
제2회 한남문인신인상 시 수상.

마트료시카 외 2편

_ 이윤지

넌 무엇을 보고 싶니?

새초롬한 얼굴에 숨겨진 속살을 맞춰봐 살점을 떼어내는 그 속도가 빨라져도 히죽 웃고 있는 얼굴에 어젯밤 일이 생각나

하늘의 전구도 딸깍, 밤을 알렸지 굳어버린 옷을 껴입는 너를 찾았어 흘린 땀을 감추려 분을 덧바르고 있던 넌, 그래도 분명 웃고 있었어

그게 왜?

넌 옷자락을 더 꼼꼼히 감았지 미처 숨기지 못한 목선을 나는 보고 말았어 거울에 비쳐있는 넌 손짓과 다르게 히죽 웃고 있었어, 그래 분명 어제를 기억하고 있어

오늘은 무엇을 보여줄 거니?

이제는 무슨 옷을 입었는지 관심 없어 네가 가진 모습은 재
미없어
너를 더 조각내줘 부어오른 몸이 흔들리도록 더 춤을 쳐줘
야유를 퍼붓는 사람들은 말했지

가위질 가득한 옷에서 단추가 떨어지고 찢어진 속살이 채
운 격렬한 무대

끝나기 무섭게 나갈 채비 하는 사람들
흘러내린 분칠
히죽거리는 얼굴
어젯밤 일
뒤돌아본 문틈
찰나의 순간

울고 있던 마트료시카

두 세계

갑자기 엄마가 내 잠자리에 들어왔다
엄마의 팔에 머리를 묻고
속삭이는 말을 삼아 잠에 들었다

본래 하나였던 세계가 두 세계로 쪼개어졌단다
그곳의 주민들은 싸움이 끊이질 않는다더라

심술궂은 주름
잔뜩 삐져나온 코털
송송 뚫린 모공까지
꿰뚫어 보는 눈동자에 항상 고개를 땅에 박고 다닌단다

바다를 보러가서 모래알을 보고
곳곳의 먼지를 피해 다니느라
마음 편한 날 없다더라

세계가 흩어지고 세상이 바뀌어
훗날 그곳의 주민들이 다시 한 번

우리와 함께 하게 된다면
말해주어라

달이 별처럼 떠 있다고
신발 밑에 무참히 짓밟힌 개미가 있었다고

야광스티커

우주가 피어납니다

떠다니는 구슬의 행방
입김에 팔랑거리는 문짝
영롱한 목구멍이 부르는 세계에 빨려 갑니다

궤도를 떠돕니다

행성의 콧방귀에
별이 잘리고
매달린 타잔은 경계선을 이탈합니다

타잔의 비명이 들려옵니다
누군가의 소망이 이루어진
아름다운 비명

우주의 목구멍은 알맹이를 뱉어냅니다
알에서 태어난 코끼리,

껍질을 뚫고 혀가 파닥거립니다

코끼리는 지구로 가는 열차를 탑승할 수 없습니다
달토끼는 수레를 끌고 와
어설픈 앞발질을 해댑니다

삐딱한 이음새에
반짝거리는
별에 박힌 코끼리다.

이윤지

국어국문창작학과 4학년.

죽음을 처리하는 방법 외 2편

_ 권영훈

죽어가는 것들에게 자비로움은 없는 밤
사라져가는 것들에게 동정심은 없는 밤
생각이 잠들면 도시도 잠드는 거리에서
형형색색의 네온사인들은 눈을 떴다

차가운 바닥에 누워있는 시체들이
돌아올 내일을 생각하지 않는 것들이
아름다운 죽음과 빛나는 부패함을 기다린 채
삼삼오오 모여 마지막 술잔을 기울인다

달은 따뜻하게 하늘을 떠다니고 밤은 익어가고
느지막한 뒷골목은 고귀한 공기만이 가득하다
보이지 않는 눈과 코와 입들은 마지막 순간까지
보이는 것들을 보려 하고 맡으려 하고 씹으려 한다

아침에 시작한 다도는 저녁에서야 끝이 난다

오늘을 알고 있는 소파에 오늘을 모르는 시체를 널었다
영혼을 잃은 망자처럼 폭우가 쏟아진다
빗소리를 들으며 따뜻한 차를 끓이기로 했다

아침에는 잡초와 부추같이
이해하고 싶지 않은 모순들을 떠올린다

점심에는 무너질 것 같은 마음보다
무너뜨리고 싶은 비극들이 쌓여간다

저녁에는 현란하게 춤을 추는
인간의 아름답고도 추한 생각들을 우려낸다

수없이 흩날리는 물속의 하루는 희로애락을 담고 감정을
담은 채
물속에서 부서지고 깨질 때 비로소 파도처럼 맑아진다

어제 버스 정류장으로 걸어오면서

최초이자 최후의 한숨을 들이마시던 인간을 떠올렸다
시라고 생각하며 쓰면 그것이 시가 된다고 어리석게 믿는
오늘 시를 쓰며 도리어 그것을 넋두리라고 여겼으니
얼마나 어리석고 순수한 반성을 했는지도 모르겠다

내일을 알고 있는 소파에 내일을 아는 육체를 널었다
갈피를 찾은 탕자처럼 가랑비가 쏟아진다
툰드라처럼 차가운 차를 끓여내었다

봄봄봄

어제 먹다남은 반찬들이 오르는 것을
어머니는 기어코 결사반대를 하셨다
오늘은 아버지가 돌아가신지 10주년
자랑거리가 아닌데 자랑처럼 들린다
아마도 어머니만의 이별방식이겠지
평생 가족이라는 단어를 나누어서
자신의 어깨에 올려두고는 그것을
낙인이 아닌 목적으로 살아오셨던
나의 아버지는 10년 동안 웃음이
가득한 사람이 되어버리고 말았다
달빛이 커튼으로 흐르는 시간에 식기를
꺼내어 놓고 이것은 독일에서 온
접시, 이건 영국에서 온 머그컵
이건 우리 집에서 쓰던 숟가락
그 위로 깔리는 고사리 무침
봄나물들의 심심한 마음들
아버지의 피앙세였던 것들이다
꽃이 피고 벌레가 울어대면
그제서야 봄이구나 봄이야 봄

이라고 외치는 것이 이치라던데
우리집은 다락방 구석에 잠든
옅은 미소가 가득한 아버지가
깨어나는 시간에 봄을 느낀다
정갈하고 깨끗하게 그가 오는
시간에 맞추어 따뜻한 마음을
퍼나르고 이곳도 꽤 지낼 만
하다는 눈으로 그를 쳐다본다
이내 그에게 돌아오는 미소
그래 네가 살만하면 된 것이지
꾸역 꾸역 애쓰지 말아라 하며
나에게 보내는 그의 황혼의 편지
아버지는 그렇게 봄을 데리고 온다

권영훈

국어국문창작학과 1학년.
『한남시정신』 편집장.

엄마 외 2편

_ 김도경

언제나 바쁘신 우리 엄마
홀로 바삐도 사시었다
어린 자식들하고 게으르면 못 산다고 모아야 산다고

말년엔 모든 삶이 뒤죽박죽
욕심을 덜 부리고 사셨더라면
아쉬움이 많다

중심에서 부지런만 하면 사는 것이 아니다
위에는 호수가 두 개 세상을 보는 창
아래는 곡식 창고 채워도 채워도 끝없이 넣어 달란다

아버지를 모른다. 엄마만 아는데
말년에 우리 엄만 모든 삶이 뒤죽박죽
중심이 흔들리면 세상이 모두 흔들린다

참새 방앗간

재잘재잘 분주하게 왔다 가는 여고생들
쉬는 시간이면 들르는 참새 방앗간
재잘재잘 무슨 이야기할까 할 말도 참 많다

터미널 사거리 분주한 거리
기다리는 사람들의 방앗간 이곳은 튀김도 판매한단다
여행 가는 사람들 어디를 갈까 나도 따라서 훌쩍 떠나고 싶다

한적한 도로 고속도로 가는 길목 조금은 생소하다
이런 곳에도 편의점이 생기는구나
예전 같으면 구멍가게 지금은

나는 아직 가본 기억이 별로 없다
바쁘게 살아온 날들

당신을 사랑합니다
끌리는 문구로 편의점 간판
색다르고 가고픈 문구를 사용했다

의지하는 건 안즐개

의지하는 건 새로 들어온 편안한 친구 같은 너
생김이 역으로 경사져 불편할 것 같지만
오래 앉아 있어도 마누라같이 편한 너

오래 있어도 너의 도움이 있기에
늘 고마움을 느끼지만
고마움도 모르고 살았지

일요일 밭일에도 편하게 도와주는 안즐개
그곳에서는 안즐개가 그 역할을 한다.
감자를 심을 때에도 김을 매거나 물을 줄 때도

없어서는 안 될 꼭 필요한 동반자
생각하면 누군가 필요해서 만든 것
필요해서 만들면 많은 사람이 이용한다.

수확의 기쁨도 너의 도움 덕이라고

김도경

국어국문창작학과 1학년.
〈한남시정신〉 부회장.

귀뚜라미 우는 정육점 외 2편

_ 김수진

그날 정육점에는 밤새 귀뚜라미가 울었다. 식당이 있었던 자리에 스티로폼 박스들이 놓이고 주방에는 화구 대신 목장 갑이 돌아가는 통돌이 세탁기가 웅웅댔다. 가운데가 동그랗게 뚫린 상 위에 문제집을 올려둔 채 엎드려서 소주가 닦고 지나간 자리에 남은 기름 냄새를 맡았다. 문밖 주방에서 나는 세탁기 소리를 따라 응응거리다 이따금씩 친할머니에게 전화가 걸려와 저 작은 손으로 벼린 칼을 쥐다니! 아이고, 곡소리를 웅크려 듣다 보면 아버지는 쿡쿡 웃으며 오른쪽 팔을 구부려 핏줄이 잔뜩 솟아난 알통을 보여주었다. 나는 오른손에 잡은 연필로 반대쪽 물렁한 팔뚝을 찌르며 역시 나는 아빠 딸, 쿡쿡. 상한 음식 냄새가 나는 냉장고를 열어 반찬 몇 가지를 꺼내놓고 밥 한 숟갈을 퍼먹는다. 손님에게 비닐봉지에 넣을 몇 그램의 죽음을 물으며 입 안에서 굴러다니는 밥알과 함께 혀를 씹는다. 얇은 외투 안에서 꺼낸 한 개비의 자문(自問)을 태우고 가장 싫어하는 문법은 가정법 과거라는데 저녁 밥상 위에 삐걱거리며 올라오는 소싯적. 비린내를 없애려면 더 지독한 냄새가 필요하다며 방 안을 뒤

덮은 곱창과 함께 쌈을 싸서 먹는다. 후식으로 잘라주는 오 렌지에서 나는 고기 비린 맛을 목 뒤편으로 삼킨다. 아버지 외투보다 두꺼운 오렌지 껍질. 친구들의 교복 카라에 스민 상큼한 오렌지 향을 갖고 싶어 껍질을 온몸에 문질렀다. 아 버지의 낡은 구두 속으로 떨어진 하얀 속살이 각질과 함께 섞인다. 아무리 문질러도 지워지지 않는 핏빛의 향. 빨랫줄 에 걸린 장갑의 락스 향이 문제집의 정답 칸을 하얗게 지우 고 지나간다. 냉장고 소음만이 낮게 깔리던 방. 뚜르르, 생 존 신고하는 이가 있다.

고양이의 길

쥐꼬리만큼의 여름을 물고 다닌다
거리마다 빈 캔이 굴러다니고
바닥의 목련 울음소리가 까맣게 멎는다
많은 계절이 뻐끔거리며 지나간
아스팔트 위에 겹을 쌓는 산들바람
빈 캔을 품에 잔뜩 안아 든 채
봄은 어디 가고 여름이 폴짝 찾아왔다던 한 시인
그의 방문 앞에 부풀어 오르는 무덤
튀어 오르는 여름
무더위가 벌컥 옆집으로 밀려났다
이제야 완벽한 여름이라고 부를 때
우리의 담장은 서서히 무너져내렸다
발톱 자국이 찍힌 담장 아래
쓰레기 봉투를 뒤지고 있으면
나를 빗자루로 쓸겠다고 다가오던 한 사람
고양이의 길을 걷는다
담장의 틈을 걸으면 또 다른 골목길

한번 더 발자국을 벗어두고 뛰어내린다
수많은 추락 끝에 낙법을 배웠지
이제 조금은 부푼 엉덩이를 치켜올려볼까
잠자코 있던 자동차에 시동이 걸리면
숨죽이고 있던 것들이 화단 풀 속으로 뛰어든다
부는 바람을 연신 허우적대며 잡으려 하고
저 멀리 시인은 보이지 않는 그림자에게
한 캔의 무게를 매달고 있었다

공동묘지

아이들이 만들어놓은 공동묘지에는
잘린 다리에 심박수를 불어넣는 이가 있다
몇 번 삑. 삑. 거리더니
분홍빛 속살에 김이 피어오른다
연약한 살들이 뜯겨나가는 동안
가만히 손을 모으고 멀찍이 서서 고인 침을 넘긴다
수업시간, 분필로 획을 긋는 언어들을 비껴가며
칠판 위에 친구와 뛰어노는 초록의 그림을 그리던
아이들의 눈에는 온 세상이 초록색으로 보인다
기다리던 버스가 얕은 경적을 두 번 울리자
만찬을 끝낸 산짐승처럼 잔해를 남기고 간다
테이블 위에 나뒹구는 새하얀 조각을 쓸어 담으며
적어도 퇴비라도 될 줄 알았는데
기름 묻은 비닐과 함께 버려진다
부스럭거리는 둥근 세상에 한데 모여 있다가
으슥한 밤이 되면 잠시 뚫고 나온다는 괴담도 있다던데
기어코 죽어서야 단단해지는 우리는

평생 남의 단단함만 꺼내어 보며
좁은 철장에서 벗어나
더 많은 것을 보았다면 어땠을까
쩝. 쩝. 음미를 한다
이제 하얗게 새어버린 노인들만이
자가용도 버스도 데리러 오지 않는 너머를 보며
이젠 가야지 가야지 중얼거리면서
자꾸 뼈에 달라붙는 살을 떼어내며
하얗고 단단하게 도축되는 자신을 지켜보았다

김수진

국어국문창작학과 1학년.
〈한남시정신〉 재무국장.

너는 누구의 수두꽃인가 외 2편

_ 박영미

기린산 서봉사 돌탑 위로 내려앉은 태양은
바람이 전하지 못한 말들 곱씹다 삼켜버린 시(詩)

영도다리 건너던 신념과 정의는 쓸쓸히 고개 숙이고
당당하던 너의 눈빛이 흔들리고 있다.

개혁의 첫 걸음은
자신의 벽을 허무는 것으로 시작한다.
내 허물을 먼저 보고 털어 낼 수 있어야만
너의 허물도 볼 수 있는 것이다.

이름도 없는 영정 앞에 둘러앉은 사람들은 행복하다.
아픈 마음들을 위로하며 안아주니 말이다.
염치없이 받아든 막걸리 잔에 울컥대며 내려 마신다.
우리가 지금 망각하고 있는 것들을 잊지 말라고.

죽음의 공포보다 더 두려운 것은 또 다른 나를 보는 일.

소수의 몇몇에 의해 틀어져 버린 지상의 시간들을
정면으로 역행하는 일이며 이미 진행되고 있는 현실이다.

다시 살아 온 별자리는 말할 수 있으나
지구별이 수천 년 전으로 여행을 시작한 것은 말하지 못하는
그것이 바로 두려움이다.

나는, 호통 치는 사람이 아니다.
나는, 벌 주는 사람이 아니다.

앞서 가는 사람들 뒤에 홀로 가는 사람
가다가 쓰러지거나 아파서 우는 사람이 있다면
다가가 흐르는 눈물 닦아주고 안아주는 사람이다.

너는 누구의 수두꽃인가.

토끼 사냥이 끝나면

어둠이 내리고 숨 가쁘게 달리던 걸음을 멈추면
고단한 사냥은 끝이 난다

고요함 속에 숨겨진 긴장감과 전율

눈 감고 길을 걷기 위해서는 총명한 귀가 있어야 하고
폭풍을 이겨내기 위해서는 현명한 입이 있어야 하며
진정한 군자가 되기 위해서는 탁월한 눈이 있어야 한다

나무가 가지는 우직함과 신뢰가 더해진다면
토끼 사냥이 끝난다 해도 결코 두렵지 않을것이며
어두운 초원에서도 말 달리듯 할 것이다

어둠은 항상 가까운 곳에 있다
밝은 태양을 맞이하기 위해서는
항상 주위를 헌신적인 촛불로 밝혀야 한다

과연, 나 대신 죽어줄 친구가 있을까.

서울의 밤

한 겨울 매서운 바람에도 따끈한 홍합탕 한 그릇이면
온 몸이 훈훈해지던 그 포장마차, 간절하다.
마지막 열차를 위해 조급해하며 종종거리던 마음들
도시의 밤은 그렇게 나를 밀어내고 있었다.
세상에 홀로 서 있는 듯 적막감마저 스며들고
연신 손 흔들며 택시를 불러 세우지만
아랑곳 하지 않는다. 무심함이란.
겨우 몇 시간 쪽잠을 청하고 다시 눈 비빌 틈도 없이
새벽길을 재촉하며 싸늘한 거리를 빠져 나오다
아직 지워지지 않은 별빛을 보고 있다.
이 매섭고 추운 길을 가는 이는 그 쓸쓸함이 얼마일까.
사람으로 태어나 사람답게 살다가 가는
그 마지막 길이 아무도 슬프지 않을 만큼이면 행복일까.
아니면, 그 반대일까.
가끔은 갈대가 부러울 때도 있다.
쉬 부러지지 않으니 슬플 일이 덜하지 않을까 하는
그의 대쪽같던 삶이 해가 되었다는 아쉬움으로
조금은 너그러울 수도 있었을 텐데

집으로 오는 새벽열차에 몸을 싣고
지루하던 하룻밤이 모두 빠져 나가고 있다.

이런 날엔……
포근한 불빛이 가득한 포장마차에
따끈한 홍합탕 한 그릇이면 그만이다.

박영미

국어국문창작학과 1학년.
〈한남시정신〉 회장.

계절 외 2편

_ 박지수

봄 새싹들이 땅 위로 고개를 내밀었다.

향긋한 꽃들의 향기가 춤을 추듯이 나의 코끝에도 전해져 왔다.

그리고 그들 사이에 포근한 햇살을 받으며 푸른 하늘 아래서 평화롭게 낮잠을 자는 너의 모습이 보였다.

여름 블루 레몬에이드같이 상큼하고 청량한 구름 한 점 없이 맑은 하늘 아래 하지만 강렬한 햇살에 의해서 누군가 나의 그림자를 바늘과 실을 이용해서 떨어지지 못하게 만든 것처럼 단 한 발자국도 움직일 수 없었다. 그리고 그건 너도 마찬가지였는지 너의 크기보다 몇 배는 큰 나무의 그림자 아래로 숨어들어 나올 생각을 하지 않았다.

가을 이제는 제법 쌀쌀해진 날씨 나뭇잎들이 각자의 색으로 옷을 갈아입고 길거리에는 옷을 다 갈아입은 나뭇잎들이 떨어지는 모습이 종종 보였다. 어디로 고개를 돌리든 다채로운 색들이 나의 눈에 들어왔다. 그리고 너는 아닌 척하면서 무심한 눈길로 다채로운 색의 옷을 입고 있는 나뭇잎을 바라보다가도 괜히 한 번 앞발로 툭 툭 만져보기도 했다.

　겨울 모든 세상을 새 하얀색으로 덮어 버렸다. 냉장고의 냉동실하고는 비교도 안 되는 사늘한 공기가 너무나 선명하게 나에게 전해졌다. 무심코 눈을 만졌을 때 차가운 냉기에 혼자서 소스라치게 놀라기도 했다. 그리고 너도 하얀 눈덩이들이 신기했는지 무심코 만졌다가 화들짝 놀라는 모습이 보였다. 그리고는 단 한 번의 망설임도 없이 바로 냉정하게 뒤돌아 가버렸다.

　어쩌면 우리는 다르기도 하지만 또 한편으로는 비슷하게 봄, 여름, 가을, 겨울이라는 계절을 마음속으로 느끼고 있는 걸지도 모른다.

마음

누구도 깰 수 없는 단단함을 가지고 있다.
어떤 상황에서도 깨지지 않을 것 같은 단단함
하지만 보이는 것이 다가 아니다.

겉으로 보기에는 빙하의 얼음처럼 너무 단단해서
누군가 와서 어떠한 충격을 가해도 겉으로 보기에는
아무렇지 않아 보인다.

하지만 자세히 보면 음악 악보에 새겨진 하나의 음표처럼
아주 미세한 금이 생긴 것을 볼 수 있다.
비록 그것을 알아보는 사람은 단 한 사람도 없지만

겉은 음악 악보의 공식처럼 빈틈없어 보이지만
내면은 빈틈투성이다.
누군가 한 번 더 충격을 가한다면 속절없이
무너져 내릴 것이다.

깨지지 않기 위해서 무너져 내리지 않기 위해서

내면의 공간은 텅 빈 채로 외부의 벽을 쌓아 올리기 바쁘다.
금방 쉽게 무너져 내릴 것을 알면서도 계속 단단한 벽을
쌓아 올린다.

작은 충격에도 금방 깨져버릴 것 같은 내면의 마음을 가
리기 위해서
내면의 상처에 보이지 않는 약을 바르고
점점 그 속의 상처가 낫기를 바란다.

아무도 알지 못하게 오늘도 나의 내면을
단단한 빙하의 얼음 속 깊은 곳에 가두어 버린다.
하지만 한편으로는 누군가 빙하의 미세한 균열을
발견해주기를 바라고 있을지도 모른다.

추억

과거의 너와 잊을 수 없는 추억 속의 한 장소에 언제나 있었다.

너는 알 수 없을지도 모르지만 나는 언제나 그 자리에 앉아서 줄곧 옆자리를 바라보았다.

가끔은 창가 한쪽에 들어오는 햇빛으로 인해서 눈이 부셔왔다.

그 빛은 옆자리에 앉아있는 너를 더욱 빛나게 해주었다.

청량한 풀 내음의 향기가 바람을 타고 너를 지나쳐 나에게까지 그 청량함이 전해져 왔다.

눈을 감으면 바로 지금 내 앞에 끝을 알 수 없는 푸른 초원이 펼쳐진 것만 같은 착각을 불러일으키기도 했다.

순간 눈을 뜨고 다시 앞을 바라보면 역시나 변함없이 똑같은 풍경들이 나를 기다리고 있었다.

하루하루 변함없는 일상 그런 일상을 딱히 바꾸려 하지도

않는 나 자신

　이제는 그런 일상들에 너무 익숙해져서 빠져나올 생각조차 못 하는 것일지도 몰랐다.

　하지만 그런 나의 일상을 한순간 특별하게 바꾸어준 존재

　매일 아무 생각 없이 자리에 앉아서 눈을 한 번 감았다가 뜨면 순식간에 하루가 지나가 있었다.

　하지만 지금은 거북이가 세계 일주를 끝낼 때까지 이 순간이 끝나지 않기를 마음 한편으로 간절히 원하고 있었다.

　나도 모르게 언제나 옆을 무의식적으로 바라보게 되었고 학교가 끝나 교실에 아무도 없을 때도 괜히 한 번 더 바라보게 되었다.

　결국, 나는 마지막 순간까지 괜히 한 번 더 모두가 떠난 교실에 남아서 한참이나 텅 빈 자리를 바라보고 난 후에야 한

발자국 한 발자국 앞을 향해 나아갈 수 있었다. 괜히 뒤를 돌아보고 싶기도 했지만 애써 그런 마음을 억누른 채로 단 한 번도 뒤돌아보지 않고 떠나갔다.

박지수

국어국문창작학과 1학년.

집 앞 사바나 외 2편

_ 박해빈

문을 열고 들어서면 종이 울림과 동시에
평범했던 집 앞에는 작은 사바나가 생긴다
나는 마치 다큐멘터리 속 카메라가 되어
그 사바나에 발을 들인다

진열된 물건을 살펴보는 저 사람
사냥감을 찾는 한 마리 동물이다

저기 앉아 음식을 먹는 학생은
치열한 사냥을 위해 힘을 비축하는 한 마리 동물이다

저기서 계산을 하는 아르바이트생
살기 위해 노력하는 또 한 마리 동물이다

나 또한 연명을 위하여
사바나 속 동물이 된다

"여기 알바 구하나요?"

임종

그래, 당신도 빛이 날 때가 있었다
첫 만남부터 아름다운 빛이 나던 당신
내가 처음 이 집에 들어왔을 때도 함께 집 안을 꾸미던 당신
이제는 당신도 빛이 바랬구나

당신을 붙잡고 조심스럽게 얼굴을 어루만졌다
느껴지는 흉터들이 내 마음을 씁쓸하게 만든다
빠진 이는 음식을 담지 못할 것 같아
나는 당신의 임종이 다가왔음을 실감했다

당신을 보내주기 전 당신을 한참 바라봤다
보내주어야지, 보내주어야지. 생각은 들어도
왜 이렇게 차마 못 떠나보내겠는지
살아온 정일까 손쉽게 보내지 못하고
한참을 당신을 붙들고 망설인다.

보내주어야 하나, 정말로.

그 방법뿐일까, 정말로.

나는 가슴 속 묵직한 돌을 뱉듯
깊게 한숨 내쉬었다

붉은색 노란색, 빛이 바래 여러 색을 입은 당신을 보며
그래, 이제는 보내주어야겠다. 이제는 떠나보내야겠다.
정이란 게 무섭지. 나는 부드러운 신문지로 당신의 얼굴
을 덮었다

여행

천천히 떠나는 거야
그 누구도 모르는 곳으로
나 하나만이 오롯이 알고 있는 곳으로

날이 비록 추울지라도
바람이 아무리 불어올지라도
나에게는 두툼한 옷이 있으니까

가다가 더우면 그늘에 앉아
따끈한 식빵을 만들어
지나가는 삼색 옷 꼬마와 나눠 먹자
낮잠까지 잘 수 있겠지

비바람이 불어도 괜찮아
바위 아래에 쉬어서 가도 돼
빗방울의 노래를 들으며 기다리자

해가 떠오르고
구름이 화난 잿빛 색에서
밝디밝은 순백으로 돌아오면
습기에 눅눅해진 옷을 말리고

그리고 다시,
천천히 떠나는 거야
그 누구도 모르는 곳으로
나 하나만이 알고 있는 곳으로

박해빈

국어국문창작학과 1학년.

어머니 외 2편

_ 백승민

묵묵히 내 옆을 지켜주는
부서지지 않을 것 같던
커다란 돌덩이

그녀는 나를 위해
살이 깎여나감에도
끝없이 굴렀다

울퉁불퉁한 돌멩이가 되어
구를 힘조차 없어졌을 때
커다란 바위가 된 내가
그녀의 옆을 지켜주리라

여행

벌레들이 빛에 이끌릴 때쯤
달은 편의점이 되어
거리를 밝힌다

발걸음이 줄어든 편의점에는
진열된 여러 상품이
고향 얘기로 재잘거린다

어디론가 떠나고 싶은 것들은
나비가 되었고
그렇지 않은 것들은
나방이 되었다.

편의점 안에 삐 소리가 울려 퍼졌다
누군가 여행을 떠나는 모양이다

각자의 소망이 떠오를 때쯤

편의점은 달이 되어
우리를 비춘다

봄

나비가 되고 싶어서였을까
한 올 한 올 눈부신 반짝임을 가진 넌
바람에 날아갈 듯 가볍기만 해 보여
손 뻗으면 날아가 버리고

넓은 파란 하늘을
예쁘게 물들이고 싶어서였을까
여러 가지 색 뽐내며 반짝이는
무지개처럼 눈부셔 잠깐 눈 감으면
신기루처럼 사라져 버리는

넌 나에게 딱 그만큼의 거리를 두고
날 설레게 한다

백승민

국어국문창작학과 1학년.

딱지 뒤집기 외 2편

_ 변우림

점주는 우유를 180도 돌렸다
유통기한이 이틀밖에 남지 않은 우유였다

매장을 한참 동안 돌아다니던 아줌마는
유제품 판매대 앞에서 허리를 숙인 채 다시 우유를 180
도 돌렸다
우유는 자신의 유통기한을 훤히 드러냈다

유통기한을 들키지 않으려는 사람과 알아내려는 사람의
눈치 싸움이 시작됐다
앞뒤 방향이 바뀐 것뿐인데, 누군가의 손길에 새 우유가
되고 옛날 우유가 되기라도 하는 것처럼
결국 아줌마의 손에 들린 건 유통기한이 5일 남은 우유였다

이틀 남은 우유가 결국 선택받지 못한 채로 날이 흘렀다
기한은 하루밖에 남지 않았고 점주는 오늘도 우유의 방
향을 바꾸었다

코끼리가 하는 말

당신의 코는 안녕하신가요.
한 걸음 뒤로 물러서서 말을 건네 봅니다.
당신에게 가까이 다가가고 싶지만, 코가 엉키면 안 되니
까요.

나에게 코는 하나의 수단이니까.
손을 대신해서 코로 당신을 끌어안고, 마음을 전하고 싶
어요.
그저 내 방식대로 멀찌감치 서서 기다리고 있을게요.

어제는 뒤처졌다며 날 비웃는 녀석을 던지고 왔어요.
못 던질 줄 알았지만, 눈 한번 딱 감고 코에 힘을 실어서.
내 코가 으스러질 정도로 세게 감싸 안고선
모든 걸 내뿜을 각오로 앞을 향해 코를 뻗었죠.
약해 보이지만 약하지 않습니다.

어제 이후로 코가 많이 길어진 것 같다는 생각을 자주 해요.

다음엔 좀 더 멀리 뻗을 수 있을 것 같다가도

이러다 마지막에 남는 게 코밖에 없을 것 같긴 하지만, 뭐 어때요.

나는 코끼리니까.

그래서, 지금 당신의 코는 안녕하신가요?

필수 조건

오늘로써 사료가 바닥을 보이고 말았다.

남은 부스러기라도 애써 덜어본다.

너는 그릇 앞에서 침을 흘리며 사료가 다 담기기를 기다린다.

사료 봉투의 웃고 있는 강아지가 너였으면 좋았을 텐데.

너는 사료 그릇에, 나는 밥그릇에

얼굴이 빨려 들어갈 것처럼 마지막 식사를 즐긴다.

우리가 그릇을 먹는 건지, 아니면 그릇이 우리를 먹는 건지 모를 정도로.

마트에 들어서자마자 고급 사료, 그리고 전기밥솥이 보인다.

집에는 아직 제대로 분리수거조차 하지 않은 햇반 용기,

사료 그릇 대신 쓰고 있는, 내가 어렸을 적부터 사용해온 국그릇이 있다.

사랑하니까 네게 해주고 싶은 것들은 많은데

　해야 하는 것들은 왜 이렇게 많은지.

　그리고 사랑하기 때문에 가져야 하는 것들은 또 왜 이렇게 많은지.

　널 향한 내 사랑의 수치는 가격표 속 숫자로 정의되고, 늘어났다가 줄어들고.

　비싼 사료를 잡았다가 다시 놓는다.

　널 사랑할 수 있는 만큼만 사랑하고 싶다.

변우림

국어국문창작학과 1학년.
『한남시정신』 편집위원.

금덩어리 외 2편

_ 서지형

어느날 편의점에
왠 금덩어리가 들어앉았다

싸고 맛있는 음식들 사이
비싸지만 못 먹는 금덩어리를
사람들은 흘깃 쳐다보며
먹을걸 본 것처럼 입맛만 다신다

그러다 금덩어리가 진짜인가 싶어
이로 깨물어보는 거대한 정장 차림의 어른들 틈 사이로
엄마와 나들이 나온 작은 아이가 이로 한번 물어보곤
큰소리로 엄마한테 물어본다

엄마 이게 뭐길래 사람들이 깨무는거에요?
먹지도 못하고 이만 아픈데
편의점에 있던 어른들 모두
얼굴이 컵라면 용기처럼 새빨개진 채

쥐죽은 듯 아무말도 하지 못했다
아이는 바나나 하나를 사서 편의점을 떴다

늘어만 가던 금덩어리에 난 잇자국이
더 이상 늘지 않고
눈독조차 들이게 되지 않은
한껏 순수해진 어른들의 편의점의 인기 상품은 바나나가
되었다

비행

하늘을 찌를듯이 높은 아파트들의 베란다 한켠 어느 한 집
고양이가 비행 준비를 한다

참새 총총 걸음으로
까치 통통 걸음으로
뻥 뚫린 하늘 아래 삼삼오오 모여

고양이가 무슨 하늘을 날 수 있냐며
비웃었지만 너는
보란듯이 힘차게 방충망에 뚫린 틈새로 비행했다

얼음장같이 추운 베란다를 떠나
돌덩이처럼 무거운 몸을 벗어던지고
그 작고 여린 영혼이 맑고 푸른 하늘로 자유롭게 곡예 비
행을 한다

그 어떤 새들보다 비행기보다 가장 멋있고 빛나던
나의 작은 비행사
지금은 어디쯤이니

사건

모두가 싫어하는 월요일 아침
5살짜리 의자가 허리가 두 동강난 채
거실에서 발견되었다

범인은 누구일까
100키로가 넘어가는 아빠일까
하루종일 게임을 했던 동생일까
의자를 매일같이 뜯어대던 고양이였을까

결코 자기는 아니라며 주장하는 용의자들을
그저 묵묵히 바라보는 죽은 자

치열한 수사를 벌였지만 새 의자가 도착해
공소시효가 끝난채 남아버린 영구 미제 사건

사실 너무 낡아버린 의자가 조용히

스스로 숨을 거두어버린건 아닐까

오늘도 조용히 생각해본다

서지형

국어국문창작학과 1학년.

아빠의 말소리 외 2편

_ 양현진

드르렁 드르렁 아빠의 말소리가 내 방을 울린다
낮에는 그렇게도 과묵하던 아빠가 밤만 되면 수다쟁이가
된다
힘든 일이 많았는지 방이 울려대도록 나를 부른다

계속 울리던 아빠의 말소리가 갑자기 끊긴다
방이 울리도록 떠들었던 아빠의 말소리가 끊긴 방은 정
적이 흐른다
어느샌가 대화가 줄어든 우리처럼 적막하고 고요하다

말이 없어진 안방으로 슬며시 귀를 대보니 아빠의 말소리
가 다시 들린다
자세히 들어보니 작은 소리로 도롱도롱
비밀 얘기라도 하는가 보다

드르렁드르렁 도롱도롱
아빠의 크고 작은 말소리가 나의 방을 울린다

아빠의 말소리는 가끔 나를 깨운다

나는 슬그머니 방문을 열어 아빠의 말소리를 들어준다

어린 날의 고양이

첫눈이 내리면 생각나는 나의 고양이가 있다

휴대폰도 없던 시절 흙 파고 놀던 나에게 놀러 온 고양이, 나비

어디서 왔는지 모를 고양이가 오자 우리 교회 아이들은 난리가 났다

친구들이 이름도 붙여주고 방울도 달아줄 동안 나는 아무것도 하지 않았다

그냥 한발 물러서서 지켜만 봤다

딸랑딸랑 방울을 매단 채 나비는 우리를 계속 찾아왔다

우리가 주는 건 고작 200원짜리 소세지뿐인데 꼬박꼬박 우릴 찾아왔다

다른 아이들이 소세지와 갖은 불량식품으로 나비의 배를 채우는 동안

나는 아무것도 하지 않았다

먹고 싶던 사탕도 포기하고 소세지를 샀지만 뒷주머니에 찔러둔 채 지켜만 보았다

첫눈이 내리던 날 나비가 우릴 찾아왔다
아이들이 첫눈을 보느라 정신 팔린 순간
나는 나비의 죽음을 보았다
차에 깔려 내장도 터지고 눈알도 터진 나비 위에 첫눈이
쌓였다
나비의 마지막 숨과 함께 첫눈이 내린다

나는 처음으로 나비를 만졌다
그동안 무서워했던 나비의 발톱이 파르르 떨린다
나는 나비의 발톱을 어루만지며 나비의 마지막을 지켜보
았다

첫눈이 오는 날은 나의 고양이가 생각이 난다
손에 흙 묻혀가며 나의 고양이를 묻어주었던 그 날이 생
각난다

목욕탕

달그락달그락 오늘도 나는 열심히 때를 뺍니다
하루 세 번 열심히 일을 하고 오늘의 일꾼들과 함께 목욕
탕에 갑니다
일을 하며 묵힌 때를 불리고 나의 세신사에게 몸을 맡깁
니다

목욕이 끝나면 서늘한 바람이 부는 마루로 향합니다
그곳에서 우린 모두 몸을 말려요
마루에선 치열한 자리싸움이 일어나요
자리싸움에서 유리한 건 두 가지에요
아주 큰 덩치와 날카로운 눈매죠

국그릇 형님은 항상 가장 먼저 자리를 차지해요
넓은 어깨를 자랑하며 자신의 영역을 드러내죠
국그릇 형님 다음으론 밥그릇 형님입니다
덩치는 작지만 국그릇 형님보다 더 일을 많이 나가는 행동
대장이에요

숟가락 젓가락 친구들은 특별손님이에요
항상 일을 나가는 워커홀릭인 이 친구들은 따로 방을 잡아
몸을 말리죠

또 무시무시한 눈매를 가진 칼 형님들이 있어요
그 형님들은 얼굴과 체형이 제각각이지만 모두 날카로운
눈매를 가졌다는 공통점이 있죠
하지만 그들도 이젠 자리싸움에 지쳐 따로 방을 얻어 살
아요

오늘은 그녀가 바깥에서 밥을 먹고 온대요
오랜만에 편히 잠을 잘 수 있을 것 같네요

양현진

국어국문창작학과 1학년.

나는 이미 너에게 감겨버렸다 외 2편

_ 조혜진

나는 너에게 감겨버렸다

너의 그 검은 눈동자를 본 순간 그 자리에서 움직이지 못
했다
　하얀 물감을 떨어트려도 다시 덮여버릴 만큼의 까만 구슬
속으로 스르륵 감겨 들어갔다

　나의 초점은 오직 너의 눈으로 향했고
　내 눈동자 속 보이지 않는 작은 점은 점점 흐려져만 갔다

　너의 날카로운 눈매와 그 위에 자리 잡은 부드러운 곡선
　너를 본 누군가는 검은 눈동자 속의 색이 희미해지고 있다

　더 검게 물들어 있는 암흑 속으로 가까이 한 발자국 내밀
었다
　지금 누군가의 상반신은 이미 검게 물들어버렸다

검은 눈동자를 가진 너는 나를 향해 고개를 돌렸고
숨 막히는 고요한 골짜기 속 암흑이 날 마주하였다

나는 끝내 침을 삼켜 정신을 붙들어 본다
암흑에 빨려 들어가지 않았다

주위에 그 어느 것도 나의 시선을 빼앗을 수 없다
오로지 너의 곡선에만 눈길이 매료된 나는 들이마신 숨
을 내쉴 수 없다

숨 막히던 정적을 깨듯 매끄러운 검은 눈동자
그 속의 내 모습이 너무나도 작다
나는 그곳을 향해 손을 내밀다 이내 주먹을 세게 말아본다

너를 가까이할수록 시간의 흐름을 잃어버리면서도 멀리
할 수 없다
나의 신체 일부는 이미 검게 물들어 흐려진 초점만이 남

아있었다

　손가락의 끝마디가 붉게 물들어 터질 정도로 쥐었던 주
먹을 풀어
　너에게로 향하는 문을 향해 손을 뻗어버렸고

　손잡이에 손끝이 닿는 순간, 붉게 익은 손마디가 혈색을
되찾기도 전에
　누군가는 색을 잃어버리고,

　나는 너에게 감겨버렸다

온기

오랜만에 찾아간 집에는
사람의 온기를 찾아볼 수가 없었습니다.

따뜻했던 벽난로의 온기 대신
집 안을 가득 채운 웃음소리 대신
여러 가지 사랑들로 차려진 식탁 대신

차가운 입김만이 맴돌고 있습니다.

먼지 한 톨 찾아볼 수 없었던 천장의 모서리들은
거미가 친 아늑한 보금자리들로 채워졌고
낡은 서적들이 곳곳에 들어서 있던 다락방은
쓸쓸한 공기만이 남아있습니다

오랜만에 다락방의 문을 열어보니
좁은 창문 틈새를 비집고 들어온 비 때문인지
넓은 창살을 통해 들어온 햇빛 덕분인지
진한 갈색의 나무 마루 사이에 하찮은 풀떼기 하나가 자

라 있었습니다

어렸을 적 그렇게 진할 수가 없던 갈색의 책상은 어디 간
데없고
연하고 색이 바래진 갈색의 책상뿐이 남아있습니다
책상 위에는 펼쳐진 책과 그 위에 놓인 작은 돋보기 그 사
이엔 책갈피가 꽂혀 있습니다

낡은 흔들의자 위에 몸을 맡겨보니 삐거덕 소리가 울려 퍼
집니다.
낡은 책상 위 뒷이야기가 남아있는 책의 페이지를 다시 넘
겨봅니다.
낡은 흔들의자에 몸을 맡겨 눈을 감으니
어디선가 따뜻한 온기가 날 포근히 안아왔습니다

안겨 오는 포근함과
여전히 남아있는 그 온기

그리움의 눈물이 흘러내립니다.

의미

나는 당신을 만나기 위해 수많은 노력을 해왔습니다

아직은 나 자신이 보잘것 없이 물러터지고
깨질 것 같은 모습이 너무 싫었습니다

모지고 시린 말들과 나를 태워버리는 말들을
이겨낼 그릇이 되질 못했습니다

나의 납작한 마음을 열심히 닦고 닦아서
당신을 담아낼 수 있게 동그란 마음으로 다시 태어났습
니다.

그렇게 사계가 지나 드디어 만났습니다.
다시 만난 그를 향해 그만 눈웃음을 보일 뻔했지만
꾹 참았습니다

이제는 마음을 파고드는 매운 말들과

뜨거운 태양을 담아낼 수 있는 존재가 되었습니다

그 존재를 인정받듯 하루도 빠짐없이 태우는 듯한 고통을
이겨내고
내 마음 속 까지 파고드는 시림을 참아냈습니다

그렇게 사계절이 지나갔습니다
처음 만났던 푸르던 봄날이 벌써 김이 서리고 눈이 내리는
겨울이 되었습니다

나는 여기저기 성한 곳 하나 없었습니다
온몸은 주름으로 가득 들어섰고 거슬리는 듯한 빗금이 보
였습니다.

이제야 그 뜨거운 태양을 담아낼 자신이 생겼는데
나를 태워버리는 것들을 견뎌낼 자신이 생겼는데

다시 그를 보지 못하게 되었습니다.
그에게 짐이 되는 존재가 되어버렸습니다

나를 아프게 했던 고통이 그리워졌습니다.

이제는 그를 놓아주기로 마음을 먹었습니다.
나도 그에게 조금이나마 의미 있는 무언가로 기억되고 싶
었습니다

나는 그렇게 잊혀져갔습니다

조혜진

국어국문창작학과 1학년.

경비실 외 2편

_ 최수영

독서실을 나와 지친 몸을 이끌고 털레털레 걸어간다.
바닥에 풀어 헤쳐진 운동화 끈이 해방을 외친다.
저 멀리 바닥에 하얀색 빛이 드리워진 것이 보인다.
벽돌로 만들어진 작은 오두막
그 위에 지어진 예쁜 집

사람들은 이곳을 경비실이라고 부른다.
벽돌 사이로 시멘트가 듬성듬성 튀어나와 있다.
나는 그제야 발걸음을 멈춘다.
경비실 창문 너머로 형광등 빛이 은은하게 새어 나온다.
나는 그제야 한숨을 고른다.

위성도, 별도 보이지 않는 까만 하늘
어깨를 짓누르는 가방의 무게
도로에 처진 그림자들이 내 목 뒤를 간질이던 두려움도,
목 뒤를 흥건하게 적신 땀도
이제는 먼 일처럼 느껴진다.

나는 말 없이 경비실 문을 바라본다.
누구든 들어올 수 있게 팔을 활짝 벌린 통유리 문.
밤마다 야식을 준비해두고 기다리는 엄마처럼
내가 집으로 들어가는 길이 무섭지 않게 나를 반겨준다.
얼굴에 살포시 내려앉은 불빛이 나를 포근하게 쓰다듬는다.

수세미

할머니는 오늘도 소파에 가만히 앉아 부지런히 손을 움
직인다.
할머니의 손에 들린 코바늘이 들썩들썩 춤을 춘다.
손이 움직일 때마다 실은 부지런히 인생을 늘여간다.
촘촘하게 짜인 실들에 삐쭉 튀어나온 거칠거칠한 실밥
할머니는 수세미를 만들고 있다.

할머니 수세미는 마트에 많이 파는데 왜 직접 만들어?
내가 말했다.
느그 엄마가 맨날 맨손으로 설거지를 해대기니까 글치 요
게 훨씬 부드러워
그렇게 말하면서도 할머니의 입가에 볼 우물이 깊게 팬다.
나는 할머니의 무릎에 살포시 뺨을 대고 누워본다.

그러게 텔레비 보지 말고 일찍 하라구 했제
할머니는 내게 퉁명스럽게 말을 한다
나는 입술을 삐쭉 내밀고 만다.
그러나 곧 할머니의 손이 내 등 언저리를 따뜻하게 쓰다

듣는다
　주름살이 가득 끼고 검버섯 핀 쭈글쭈글한 손
　왠지 나는 그 손이 한없이 부드럽게 느껴진다
　할머니의 수세미는 어떤 인생을 살아왔을까
　나는 그 손의 온기를 느끼며 스르르 잠에 든다

나무의 틈

포장지는 이미 너덜너덜해져 반이 떨어져 나간 지 오래다.

이제는 서로 추악한 속내를 드러내고 있을 뿐이다.

그 애의 머리카락이 휘날린다.

예전엔 그렇게 예뻐 보였는데, 이제는 꼴도 보기 싫다.

너랑 성격이 안 맞는 것 같아.

한참을 머뭇거리던 그 애가 말했다.

이미 그 애를 미워하면서도, 그 애의 말에 심장이 덜컹거린다.

나는 그저 입술을 달싹일 뿐이다.

오면서 그 애를 상처 줄 말을 생각했지만, 이제는 떠오르지도 않는다.

그 애와 싸울 때마다 내 심장에 금이 가고 있었다.

종지부를 찍는 말에, 심장이 잘못 깨뜨려 바스러진 달걀처럼 깨지고 말았다.

심장에서 떨어져나온 파편이 내 발끝에 시리게 스며든 것 같다.

그 아이와 나는 아무 말을 하지 않은 채 바닥을 볼 뿐이다.

바람에 나뭇잎이 나부끼는 소리가 들린다.

나무 사이의 거리가 너무 가까우면 서로 잘 자랄 수 없어

하나를 베어야만 한다던데

우리도 그렇게 지나치게 가까워서 서로를 잘라내는 걸까.

최수영

국어국문창작학과 1학년.
『한남시정신』 편집위원.

화제의 인물

인터뷰 1 손미 시인

"내가 시를 쓰는 것이, 내가 글을 쓰는 것이 누군가를 위로하는 일일 수도 있겠구나, 하는 생각이 들어요."

인터뷰 2 김도경

"학업에 꿈을 이루지 못한 사람들을 위로하고 늦은 나이에도 공부할 수 있다는 희망의 글을 쓰고 싶습니다."

시詩:럽love 콘서트

손미 시인과의 대화

_변우림

Q : 안녕하세요, 교수님. 먼저 흔쾌하게 인터뷰에 참여해 주셔서 정말 감사합니다. 먼저, 지난 5월에 있었던 시:럽 콘서트에 대해 교수님의 이야기를 듣고 싶습니다! 해당 행사를 계획하시게 된 배경이 무엇인지 궁금합니다!

A: 네 안녕하세요. 용산 cgv와 시인협회에서 진행했던 시럽 콘서트에 참여했습니다. 시인협회에서 자리를 제공해주셔서 시 콘서트에 참여하게 됐습니다. 원래 취지는 영화를 한 편 보고, 시인과 그 영화에 대한 이야기를 나눈 뒤, 시 낭독을 진행하는 것이었습니다. 그런데 시간이 너무 오래 걸려서 저는 낭독과 강연 위주의 행사로 기획을 바꾸었습니다.

Q : 행사를 준비하면
서 어떤 심정이셨는지,
혹시 준비 과정에서 행
복했거나, 어려웠던 일
이 있으셨다면 그게 어
떤 상황인지 자세히 알
고 싶습니다!

A : 그동안 회사를 다
니면서 의무적으로 일을
했었는데 이번 행사를
준비하면서 모처럼 다시 가슴이 설렜습니다. 평소에 동영
상 찍는 것을 좋아하는데요. 풍경이 흔들리거나 바람에 흔
들리는 나뭇잎이나 뭉게뭉게 사라지는 구름 같은 거요. 2
년 전 아이슬란드에 가서는 빙하가 떠내려가는 모습을 촬
영했었는데 찾아오신 분들에게 보여드리고 싶다는 생각을
했어요. 영상에 음악을 입히고 그 장면이 어떤 시로 창작
됐는지 영상과 시를 묶어 자료를 만들었어요. 어떤 장면과
영감들이 시가 되는지 질문하시는 분들이 많은데 그 장면
이 한 마디의 답보다 선명할 거란 생각을 했어요.

Q : 행사 도중 인상적인 에피소드가 있으셨나요? 교수

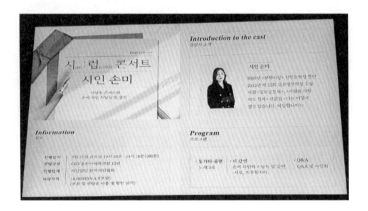

님만의 감격스러우셨던 에피소드가 있다면 그게 무엇인지 궁금합니다.

A : 영상을 보는데 눈물이 날 뻔 했다고 피드백을 주신 분이 계세요. 그리고 마지막에 사인을 하는 시간에는 저의 두 번째 시집을 밤마다 읽고 잤다고 힘든 날, 이 시집으로 견뎠다고. 그 짧은 순간에 고백해주시는 분들도 계셨어요. 그런 이야길 들으면 아, 내가 시를 쓰는 것이, 내가 글을 쓰는 것이 누군가를 위로하는 일일 수도 있겠구나. 하는 생각이 들어요. 돈 안 되는 시는 써서 뭐하냐는 말. 많이도 들었었고, 세상은 내가 시를 쓰든 말든 관심이 없지만, 시를 쓰는 자리가, 글을 쓰는 자리가, 내 자리인 것 같아서, 나의 임무인 것 같아서, 그런 만남이 더 없이

소중해요.

- 다음부터는 학생 입장으로서 교수님께 여쭤보고 싶은
질문들입니다! –

Q : 앞으로 시인을 꿈꾸는 후배 혹은 제자들에게 가장
필요한 마음 가짐이 무엇인지 조언해주실 수 있나요?

A : 음, 시를 쓰는 일에 대해 논할 정도로 시에 깊은 조예
가 있는 것은 아니지만 주변의 선생님들이나 선배들을 보
면, 오래 잘 쓰는 일이 가장 중요한 것처럼 보여요. 오래

잘 쓰기 위해서 어떻게 하면 되느냐고 어떤 선생님께 여쭤본 적이 있어요. 선생님은 의외의 말씀을 하셨는데 한 마디로 "건강"이었어요. 건강해야 체력이 있고, 체력이 있어야 쓸 수 있다는 말이었죠. 그런데 이 건강은 꼭 육체적인 건강만을 의미하는 건 아니라고 생각해요. 정신적인 건강도 함께 말씀하시는 거겠죠. 시를 쓰다보면 지칠 때가 많아요. 눈에 보이는 피드백이 없거든요. 등단하지 않았을 땐 더더욱 외롭고 고독하죠. 누군가의 한 마디에 흔들리고 나의 작품에 자신이 없어지기도 해요. 그런데 그 순간에도 건강만 있으면 버틸 수 있어요. 몸과 마음이 건강하면 시간이 오래 걸리더라도 기다리고 버틸 수 있어요. 시는 묵

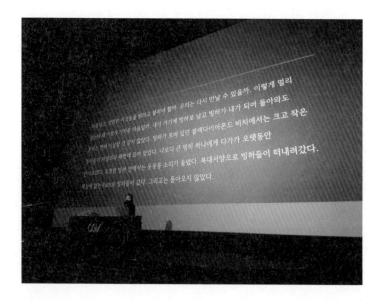

182

묵해야 해요. 묵묵함 속에서 내 작품을 믿는 뚝심도 필요하고요.

Q : 문학이 사라지거나 축소되고 있는 시대에서, 문학의 한 장르인 시를 어떻게 살릴 수 있을지 교수님만의 생각이 알고 싶습니다!

A : 그건 제가 오랫동안 고민하던 부분이에요. 제가 앞으로 연구하려는 분야이기도 하고요. 우선 많은 사람이 시를 읽을 수 있도록 다양한 플랫폼이 생겨야겠죠. 요즘은 책도 읽어주잖아요. 그것처럼 텍스트 외 다른 감각을 자극할 수 있는 콘텐츠를 개발할 필요가 있다고 봐요. 그래야만 멀어져간 독자들이 시에 호기심이 생길 거고, 호기심이 생긴 독자 중에 몇은 역으로 시집을 찾아 깊이 있게 탐독할 거라 생각해요. 시대가 바뀌었어요. 독자들이 스스로 시에 호기심이 생기게 누군가 유도해줘야 해요. 그렇게 시는 한 번 접하면 끊어낼 수 없을 정도로 중독성이 강해서 우리보다 오래 살아남을 거고요. 저는 시의 힘을 믿어요.

Q : 예전에는 특히 문학을 부정적으로 바라보는 사람들이 많았다고 알고 있습니다. 시를 왜 쓰냐고 묻는 사람들에게 교수님께선 뭐라고 대답하셨는지 궁금합니다. 그리고 사람들의 인식을 어떻게 이겨내시고 극복하셨는지 알

고 싶습니다.

A : 모두가 그랬던 것은 아니고 문학을 잘 모르는 분들은 저의 미래를 우려하셨죠. 특히 부모님이 그러셨어요. 시를 써서는 먹고 살 수가 없으니까. 취직하라고 독촉하셨죠. 이십대 초반에는 아무 생각이 없었고요. 이십대 중후반에는 저도 불안했어요. 계속 시를 써도 되나 부모님 말씀처럼 취직해서 취미로 써야 하나. 그럴 때 한계를 만들었어요. 이번 신춘문예까지만, 이번 겨울까지만 하고 버텼죠. 그리고 사람들에게 특히 엄마아빠에게는 이렇게 얘기했어요. 인생 한 방이다. 글 쓰면 다 드라마도 쓰는 줄 알았던 부모님은 제가 드라마 작가가 될 수도 있다는 희망에 고개를 끄덕이셨고요. 그때는 시 안 쓰면 죽을 것 같았어요. 부모님이 아니라 그 누가 뜯어 말려도 어떻게든 썼을 거예요. 지금은 그때로부터 10년이 지났어요. 살아보니, 조금 과격하게 말하자면 작품이 나를 구원해요. 그런데 이 작품들을 못 쓰고 살았더라면 어땠을까요.

Q : 질문에 답해주셔서 감사합니다. 마지막으로, 한남시정신 동아리원들에게 한 말씀 부탁드립니다.

A : 안녕하세요 시정신 여러분, 반갑습니다. 코로나로 인해 또 여러 가지 사정으로 인해 직접 얼굴을 보고 인사

를 나눈 적이 없네요. 그래도 학교 어딘가에서 시를 쓰는 학생이 있다는 것만으로도 선배들에겐 굉장히 큰 힘이 됩니다. 지금 그 모습 자체로 충분합니다. 모두 편안하시길 바랍니다.

사　진 | 손미 시인 개인 제공
주최측 | 한국시인협회, CGV

변우림

국어국문창작학과 1학년.
『한남시정신』 편집위원.

2021년 시의 꿈을 안고

1954년생 신입 김도경

_김수진

1. 안녕하세요. 인터뷰에 응해주셔서 감사합니다. 요즘 근황은 어떻게 되시는지요?

● 한 학기 동안 열심히 학교생활을 하려고 했는데, 컴퓨터가 서툴러 힘들었습니다. 그래도 교수님과 학우님들의 도움으로 여기까지 왔습니다. 요즘에는 김완하, 김소월 시인의 특유의 담담한 문체로 이루어진 작품들이 좋아서 시집을 틈틈이 읽고 유튜브로 시 강의도 듣고 있습니다. 〈김완하의 시 속의 시 읽기〉를 읽으며 다양하게 해석 가능하다는 점도 배웠습니다.

2. 올해 입학하시면서 만학의 어려움이 많았을 텐데요. 뒤늦게 배움의 길을 선택하게 된 특별한 계기가 있으신가요? 또한 국어국문창작학과를 선택하신 이유가 궁금합니다.

● 시각장애인 농악을 지도하고 지인의 말씀 중 복지사

자격을 취득하면 더 좋은 기회가 있다기에 알아보니 고등학교 졸업 이상의 학력자만 할 수 있다고 하여 대전고등학교 부설 방송통신고등학교에 다니게 되었습니다. 1학년 때 교재 뒤편에 나와 있는 다른 사람들의 사연을 보고 나의 어린 시절을 수필로 적어 국어 선생님께 보여 드렸고 재능이 있다는 말씀과 추천으로 전국 학예대회에 출전하여 대상(현 교육부장관상)을 수상하는 영광을 얻었습니다. 그 계기로 시나 수필 등 생각을 표현하는 글쓰기를 배우고 그동안 못했던 공부의 한을 풀고 싶었습니다. 편한 문체로 누구나 읽을 수 있는 글쓰기를 하기 위해 국어국문창작학과를 선택했습니다.

3. 일과 학업을 병행하기 어려웠을 것 같다는 생각이 듭니다. 이번 한 학기를 어떤 심정으로 보내셨나요?

● 학우님들에게 누가 되지 않도록 열심히 하자는 마음으로 보냈습니다.

4. 유년 시절은 어떠셨는지 궁금합니다.

● 기말시험에서 썼던 "미소"에서처럼 어려움이 많았고 그리하여 막연하게 살았던 것 같습니다.

5. 취미가 있다면 무엇인가요?

● 금산농악을 장구, 북, 징, 지금은 금산읍의 상쇠를 맡

을 정도로 열심히 했습니다.

6. 공부를 결심한 당시 가족들의 반응은 어땠나요?

● 고등학교를 못 다녔다는 것을 숨기고 살았는데 방송통신고등학교 제도가 있다는 것을 2018년도에 알게 되었고 작은아들과 상의하여 결심하고 집사람에게도 알리고 다니게 되었습니다. 다들 놀라고 의외라는 반응이었지만 응원과 또 나 또한 공부가 너무 재미있어서 열심히 했습니다.

7. 방송통신고등학교에 다니셨다고 들었습니다. 방송통신 고등학교에 다니면서 일어난 재미있는 에피소드가 있으시다면 그 얘기도 듣고 싶습니다.

● 일 년에 24번 격주 일요일에만 다니고 인터넷으로 학습하는 학교인데 다들 개성이 뚜렷하고 자존심이 강해서 반장과 학년 장 총학생회장을 했는데 마음이 여린 나의 성격으로는 감당하기 어려움이 많았습니다. 코로나로 인하여 졸업 시즌을 제대로 즐기지 못했습니다.

8. 앞으로도 계속 시 창작을 한다면, 어떤 창작을 하고 싶으신가요?

● 어려움 속에서 학업에 꿈을 이루지 못한 사람들을 위로하고 늦은 나이에도 공부할 수 있다는 희망의 글을 쓰고 싶습니다.

9. 꿈과 계획은 무엇인가요?
● 읽어서 편하고 동화 같은 내용과 리듬감이 있는 시, 수필, 소설을 쓰고 싶습니다.

10. 마지막으로, 동기이자 인생 선배로서 다른 학우들에게 한 말씀 부탁드립니다.
● 공부할 기회를 놓치지 말고 열심히 하라고, 인생은 한 번이라고 말씀드리고 싶습니다.

11. 인터뷰이를 만난 후 느낀 점

● 장마철에 김도경 학우님을 만났습니다. 이상하게도, 인터뷰하기 위해 카페로 가는 길부터 끝나는 시점까지 비가 멎은 듯 내리지 않았습니다. 자리에 앉은 순간부터 학우님의 눈과 말투는 마치 장마 전선을 데려온 것 같았습니다. 눈시울을 붉히며 내뱉는 한 마디마다 아쉬웠던 유년 시절과 말로는 형용할 수 없는 삶의 조각들이 인터뷰 내내 마음속에 웅덩이를 지게 했습니다.

김도경 학우님의 가슴속에는 항상 고마운 이들을 품고 있었습니다. 본인의 능력과 노력보다는 주변인들의 도움과 감사함을 말했습니다. 그리고 어떻게 그들에게 보답할지 어쩔 줄을 모르는 순수하고 따뜻한 마음이 만학의 꿈을 안고 입학까지 이루신 건 아닐까 생각이 들었습니다.

김도경 학우님의 굴곡진 삶을 잔잔히 손가락을 대고 따라가면, 모두 시가 되고 작품이 되었습니다. 시를 배운 적이 없다고 하셨지만, 그런 삶 속에서 나도 모르게 울컥 터져 나오는 응어리가 있었을 터입니다. 그런 응어리를 물감처럼 펼쳐 놓으면 삶의 애환이 묻어나오는 하나의 작품이 탄생하는 것입니다.

어쩌면, 젊은이보다 더 불타는 마음으로 학업에 임하고 있는 건 아닐까 싶었습니다. 기회를 놓치지 말고 열심히 하라는 말이 그 어느 때보다 짙고 선명하게 다가왔습니다. 집으로 돌아가는 길, 기다렸다는 듯이 세차게 내리는 비처럼 한번 부딪혀 보자는 다짐을 하게 되었습니다.

김수진

국어국문창작학과 1학년.
〈한남시정신〉 재무국장.

한남시정신

- 코로나19에도 함께 한 시적 열정

  _ 최수영

- 우리는 만남을 위해 시를 썼다

  _ 한남시정신

- 시는 어디에나 있다

  _ 유선영

코로나19에도 함께 한 시적 열정

최수영

한남시정신의 배경

최근 코로나 19 때문에 비대면이라는 단어의 사용이 많아지고 있다. 사람과 사람이 만나는 기회가 줄어들고 있는 것이다. 대학에서는 대면수업으로 코로나에 노출될 확률이 높기에 대면수업을 최대한 제재하고 있다. 학생들은 학교에 나가지 않고 가정에서 수업을 듣는 어려움을 겪고 있다. 여러 사람과 모여 지식을 나눌 기회를 잃어버린 것이다. 이는 한남시정신에서도 마찬가지이다.

한남시정신은 2000년대 새로운 상상력과 감수성, 언어미학으로 등단한 한남대 국어국문 문예창작과 손 미, 성은주, 박송이, 김지숙, 변선우, 이근석 신예시인들의 뒤를 이어 시인으로 등단하기 위해서 문학을 공부하고 창작하는 활동을 펼치는 동아리이다. 그래서 한남시정신에는 시를 쓰고 시에 대해 나누는 것을 좋아하는 학우들이 모여 있다.

그러나 코로나 19로 인하여 대면하여 시에 대해 토의하기
에는 한계가 있다. 그러한 한계를 보완하기 위해 한남시정
신 학우들은 선배 시인들의 적극적인 지원 아래에서 줌 회
의를 통해 시에 대해 더 깊이 알기 위해 노력하고 있다.

　한남시정신 모임은 매주 금요일 5시부터 6시 반까지 진
행된다. 5시부터 5시 반까지는 시인분께서 한남시정신 학
우들을 위해 시에 대한 강연을 해주신다.

성은주 시인님의 특강

5월 7일 성은주 시인님

성은주 시인님께서는 어제와 다른 풍경을 보여주는 시에 대해 강조해주셨다. 시에서 이렇게도 보이고 저렇게도 보이는 다양한 방식을 취하며 오늘과 어제, 내일 읽었을 때마다 다른 시, 즉 다양성이 보이는 시를 쓰기 위해 노력해야 한다고 강조하셨다. 그러기 위해서는 삶을 살아가는데 무수히 밀려오는 점화자극에 주목해야 한다고 하셨다. 지금 생각하는 것보다 더 나은 생각과 문장이 있다는 것이다. 또 시이불견 청이불문, '보는 것이 보는 것이 아니며 듣는 것이 듣는 것이 아니다.'을 통해 스쳐 지나가는 것들 안에도 쓰고자 하는 것들이 있다며 스쳐 지나가는 것들에도 관심을 가져야 한다고 하셨다. 자신의 할 일에만 몰두한 채 고개를 파묻고 이어폰을 쓴 채 권태로워하는 현대인들에게 꼭 필요한 말이라고 생각한다. 또 앉은 자리를 바꾸지 않으면 새로운 풍경이 보이지 않는다고 말씀하시며 어제와 다른 풍경에 대해 한 번 더 강조하셨다. 인생에 대한 경험이 적어 어떤 시를 써야 할지 고민이라는 질문에는 아는 수준의 단어에는 한계가 있으니 단어사전을 만들라는 것과 자신에 대한 시를 써보라고 충고해주셨다. 어떤 주제로 어떤 시를 써야 하는지에 관해 고민이 많았는데 정말 많은 도움이 되었다.

변선우 시인님의 특강

5월 14일 변선우 시인님

　　변선우 시인님께서는 자신의 학부생 시절의 이야기로 특
강을 시작하셨다. 현재 한남대학교에서 시를 쓰고 있는 학
우들이 공감할 수 있는 내용이 많았다. 시인은 본인의 이야
기를 하시면서 자신의 목소리를 찾는 것이 중요하다고 이
야기하셨다. 시인의 특강 중에서 '나는 체험하지 않은 것
은 한 줄도 쓰지 않았다. 그러나 한 줄의 문장도 체험한 것

그대로 쓰지는 않았다.' 라는 요한 볼프강 폰 괴테의 말이 기억에 남는다. 현실로부터 비상하는 것이 상상이라는 말이다.

변선우 시인은 특강에서 많이 읽고 많이 쓰는 것을 강조하셨다. 시를 유려하게 쓰는 방법으로 많이 쓰고 읽는 것만큼 느는 것은 없다는 것이다. 그러면서 특강 중 다른 시인들의 시를 제시하여 학우들이 많이 뽑은 시를 함께 낭독하며 시를 함께 풀어가며 학우들이 시를 쓰는 재량을 늘일 수 있도록 도와주셨다. 처음 시에 입문하여 어떻게 써야 할까 고민하는 학우들을 위해 방향키를 제시하여 준 것이다.

박송이 시인님께서는 시를 쓸 때 그것에 관해 써야 하는데 그것을 설명하듯이 빗대어 쓰는 경우가 많다는 이야기

박송이 시인님의 특강

5월 21일 박송이 시인님

를 제시하며 대상을 형상화하는 데 집중해야 한다고 하셨다. 사물에 대한 자신의 감정을 쓰기보다는 사물의 있는 그대로를 담아내라고 충고해주셨고 시에는 여백을 남겨 창작자의 세계를 독자들이 공감하고 이입할 수 있게 해야 한다고 말씀하셨다. 또 무작정 시를 쓰기보다는 스토리텔링을 하는 것을 추천해주셨다. 그리고 어떤 시를 써야 하냐는 질문에는 복잡하게 생각하기보다는 자기만의 이야기를 쓸 줄 알아야 한다고 말씀해주셨다.

여러 시인 분께서 본인들의 본업이 있음에도 한남시정신 학우들의 발전을 위해 기꺼이 강연을 맡아주신다. 이제 막 피어나려는 새싹들에 양분을 듬뿍 제공해주는 것이다. 한남시정신 학우들은 강연을 통해 시인의 열정을 느끼고 배움을 실현할 수 있었다.

시인 분들의 강연이 끝난 5시 30분부터 6시 30분까지는 합평을 진행한다.

학우들 시의 합평

서지형 학우의 「곡예 비행」 시 낭송 中 시제 : 고양이

백승민 학우의 「봄」 시 낭송 中 시제 : 고양이

　처음에는 시를 쓴 학우가 낭송하고 다른 학우가 한 번 더 시를 낭송한다. 시를 읽는 높낮이와 호흡, 깊이가 사람마다 다 달라서 처음 들었을 때와 두 번째 들었을 때가 다르게

느껴진다. 시를 한 번 더 낭송하고는 각자 합평을 준비할
시간을 가진다. 합평을 준비하는 시간은 약 4분이다.

합평 준비가 끝나면 한남시정신 학우들은 시를 읽고 본

변우림 학우의 「코끼리가 하는 말」 합평 준비 中 시제 : 코

조혜진 학우의 「의미」 합평 준비 中 시제 : 접시

인이 했던 생각이나 느낌 점, 좋은 점과 부족한 점들에 대해 합평을 진행한다. 이를 통해 부족한 점을 보완해 나갈 수 있다. 또 시를 읽다가 생긴 의문점에 관해 이야기하기도 한다. 합평은 보통 약 다섯 명 정도로 진행한다.

합평이 진행되고 난 후에는 시를 쓴 학우가 시를 창작하게 된 배경과 의도 등을 이야기한다. 이때 일전에 합평을 진행하면서 제기된 의문을 해소할 수 있다.

시를 쓴 학우의 이야기가 끝나면 시인 분들께서 시에 대해 총평을 해주신다.

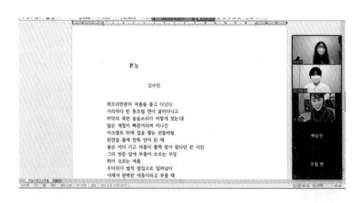

김수진 학우의 「본능」 총평 中 시제 : 고양이

최수영 학우의 「수세미」 총평 中 시제 : 고양이

독자를 시 속으로 끌고 오기 위해서는 의도를 내세우는 게 아니라, 시에 자신이 하고 싶은 이야기를 담은 이야기를 구체적으로 풀어놓아야 한다는 시인의 총평이 있었다. 주기적으로 합평을 하면서 시인의 총평 의미를 파악할 수 있었다. 또 총평을 통해 퇴고하는데 도움이 되었고, 앞으로의 창작 방향도 올곧게 잡을 수 있었다.

한남시정신 활동에 대해 느낀 점

권영훈 학우는 코로나라는 세계적 재난 상황에서 직접 만나서 토론하고 이야기를 나누는 것만이 문학성을 키우는 것이 아니라 비대면일지라도 얼굴을 보고 서로의 작품을 띄워놓고 토론하는 것도 문학성을 느낄 수 있으며 오히려

4차산업 혁명 디지털 시대에 문학을 배우는 방향성도 폭넓게 향상될 수 있는 장점이 있는 것 같다.

하지만 문학작품이 점점 활자나 인쇄가 아니라 디지털화되는 것이 좋거나 편리하지만, 작가가 독자들에게 보여주고자 하는 마음이나 느낌은 아무래도 화면보다는 아직 활자가 더 크다고 생각한다. 또한, 서로 직접 마주 보며 서로의 시를 직접 말하는 것과 화면상으로 보는 것에서 오는 가독성 혹은 집중력은 조금 더 떨어지는 것 같다고 말했다.

변우림 학우는 코로나 19로 인해 의도치 않게 줌으로 학우 분들과 소통하게 되었다. 사람들끼리 서로 눈을 마주 보고, 표정을 보고, 서로의 목소리를 들으면서 교류하는 것이 만남이라고 생각하는데, 모니터 화면 너머로 교류하다 보니 서로 연결되어 있지 않은 것 같았다. 분명 같은 화상 채팅방에 있는데도 말이다.

그럼에도 우리는 합평을 이어나갔다. 서로의 시를 감상하고, 그 시를 분석하고, 감상을 공유하고. 줌을 통해 합평을 이어나간 것은 단순한 동아리 활동이 아니라고 생각한다. 문학 작품을 좋아하기 때문에 모인 사람들인 만큼, 적어도 마음만큼은 잃지 말자고 서로 지지해준 것일지도 모른다는 생각이 들었다.

줌 활동으로 우리의 생활이 무미건조해진 것은 부정할 수 없는 사실이라고 생각한다. 다만 무조건 부정적으로만 바라볼 수 없을 것이다. 꼭 얼굴을 꾸미거나 옷을 갖춰 입지 않아도 상대방과 대화를 나눌 수 있게 되었고, 만남과 교류라는 단어의 의미들이 점차 가벼워지는 순간 속에서 서로의 시를 감상하는 일만큼은 소홀히 여기지 않았으니까. 고독하다면 고독한 동아리 모임에서도 각자의 창작을 존중하는 일은 순탄하게 이루어졌다고 느낀다고 말했다.

박지수 학우는 시간과 공간의 제약이 없고 따로 공간을 마련하거나 이동을 하지 않고 자신이 있는 장소에서 정해진 시간에 줌을 통해서 활동할 수 있다는 점이 좋았다. 또 다양한 지역에서 사는 분들의 왕복 이동시간과 교통비용 또한 줄일 수 있다는 점이 좋았던 것 같다.

하지만 인터넷 서버 연결의 끊김 현상 때문에 원활하게 의사소통이 진행되지 못하는 경우가 발생하기도 한다고 말했다.

박해빈 학우는 미흡한 부분이 많았고 처음에는 참여 부족으로 어려움을 겪었으나 회의와 소통을 거듭하여 참여도가 높아져 원활한 회의가 진행될 수 있었다. 직접 대면하는 것이 아니라 연차가 있으신 선배님들, 교수님들과 대화 나누는 것이 조금 더 편하게 느껴졌다. 낭독시간에 큰 화면에 작품이 뜨는 것이 좋았다. 작품에 집중할 수 있는 환경이 좀 더 조성된 듯했다. 또 합평에 대한 부담이 줄어들었다. 합평하는 당사자도 듣는 당사자도, 표정이나 몸짓에 얽매이지 않고 객관적으로 들을 수 있어 좋았다.

하지만 부드러운 분위기나 시작 전 잡담 등 개인적인 친분을 나누기에는 아직 어려운 감이 있다. 그리고 화면을 공유하지 않으면 얼굴을 보지 못해서 얼굴을 익히는 데에 어려움이 있었다. 또 섣부르게 말을 꺼내면 음성이 섞일까봐 조금의 침묵 후에 입을 열었는데, 이게 회의시간을 잡아먹는 일도 있어서 시간분배가 아쉬웠다고 말했다.

김수진 학우는 처음에는 줌을 이용한 회의가 제대로 진행 가능할지 걱정이 먼저 들었다. 아무래도 직접 얼굴을 마주하는 것이 아니므로 참여도가 저조할 것 같고 흐지부지 끝나는 건 아닐까 싶었다. 하지만 우려와 달리 회원들의 활발한 소통과 선배 시인들의 적극적인 도움 덕분에 회의의 불이 꺼지는 일은 없었다.

서로의 작품을 합평하고 문학에 관한 이야기를 나누는 자리이기도 하지만 밖을 나가기도 꺼려지는 요즘 상황에서 매주 만나는 회의를 통해 서로의 안부를 물으면서 '살아있음'을 증명받는 하나의 활동으로 자리매김했다고 볼 수도 있다.

이제는 카메라를 앞에 두고 만나는 행위가 어색하지 않다. 당장 카페를 가도 노트북을 꺼내 들고 화상 채팅을 하는 사람들을 심심찮게 만나볼 수 있다. 코로나 상황에서도 관계의 끈을 놓지 않으려는 모습이 안쓰럽기도, 대견하기도 했다. 이러한 상황에서 〈한남시정신〉 활동도 꾸준히 잘 진행되고 있는 것이라고 말하고 싶다고 말했다.

코로나는 우리에게서 많은 것을 바꿔놓았다. 배달음식을 이용한 음식문화, 영화관이 아닌 티브이 플랫폼을 통해 보는 영화 등등 많은 것들이 바뀌었다. 오죽했으면 코로나 이후의 삶을 뜻하는 '포스트(post) 코로나'라는 합성어가 생겼을까. 이는 문학에서도 마찬가지이다. 당장 〈한남시정신〉 모임만 봐도 그렇다. 〈한남시정신〉 학우들은 직접 만나서 의견을 나누는 것이 아니라, 화면을 통해 얼굴을 보고 의견을 교환한다. 그렇게 함으로써 코로나의 위협에서 벗어날 수 있을 뿐 아니라 시간과 장소의 제약을 없애, 거리적으로 떨어진 사람들도 쉽게 접근할 수 있는 등 보다 많은 사람이 참여할 수 있게 한다. 또 영상을 공유하기가 쉬워

정보 공유의 어려움을 해결할 수 있다. 비록 화면을 계속해서 보면서 회의를 진행해야 하는 것에 대한 피로감과 그로 인한 집중력 저하 문제가 있지만, 혼자라면 알지 못했던 정보를 회의를 통해 알 수 있고, 시인 분들의 특강이 끝난 후 고민해왔던 것들을 쌍방향이라는 화상회의의 특징을 통해 바로 질문하고 답을 얻는 등의 다양한 장점이 있다.

매주 금요일마다 참여하는 〈한남시정신〉 활동을 통해 학우들은 시를 쓰는 역량이 발전하는 것을 기대할 수 있다.

최수영

국어국문창작학과 1학년.
『한남시정신』 편집위원.

우리는 만남을 위해 시를 썼다

한남시정신

머리말

그동안 〈한남시정신〉 활동을 해오면서 느꼈던 것들, 그리고 처음 들어올 때 각자의 각오를 마음속 한켠에는 품었지만, 그것을 글로 풀어내거나 혹은 다른 동아리원들과 나눌 기회는 없었던 것 같다. 또한 앞으로 〈한남시정신〉에 들어올지도 모를 미래의 후배들에게, '시정신'이라는 이름으로 모여 함께 걸어갔던 동아리원들과 회장단의 마음을 진심 어리게 풀어내보면 어떨까 하는 생각에 이러한 특집을 기획하게 되었다. 무더운 여름, 각자의 생각을 꾹꾹 눌러 담아 이 특집을 완성했다. 날카롭지만 솔직하고, 거침없으면서도 담백한 학우들의 이야기를 통해 그들의 문학을 향한 순수하고 아름다운 열정을 감상해보면 좋을 것 같다.

마음을 나눈다는 일은 어렵고도 간단한 일이 아닐까 하는 생각이 든다. 몇 개월 전, 시를 좋아한다는 이유만으로 모인 우리의 작은 만남, 그리고 문학을 통해 이어질 앞으로의 만남에 인사를 전해본다.   (권영훈 19학번)

외로워서 시를 쓴다

주변에서 시를 왜 쓰냐고 물으면 잠시 주춤합니다. 시집을 읽으면 항상 새로운 세계로 떨어집니다. 화자는 어떤 세상에서 살고 있는지, 그런 세상 속에서 인간들의 특성과 속성은 무엇인지 빠져들게 됩니다. 사소한 순간 하나로 세상을 한 아름 묶을 수 있는 시의 힘이 매력적으로 다가왔을지도 모르겠습니다.

하지만 시를 쓰는 일이 이리도 외로운 줄 몰랐습니다. 나한테는 올 줄 몰랐던 우울증에 걸리면서 오롯이 백지 앞에 서서 나도 저곳으로 소실되는 느낌이었습니다. 올해 초에는 노트북 바탕화면에 저장되어 있던 시를 모두 지웠습니다. 내가 지금까지 한 것이 모두 휴지통에 들어가는 것을 경험하고 부모님의 만류에도 더는 펜을 잡지 않겠다고 선언했습니다. 앞으로 내가 글을 쓸 수 있을까, 하며 1학기를 보내는 동안에도 저는 확실함을 손에 쥐지 못하고 있었습니다.

문학에 대한 고민이었을까요, 그저 사람이 그리워서 그 랬던 것일까요. 아는 작가님께 무작정 연락했습니다. 제 이야기를 듣던 작가님은 혼자 여행하는 것을 좋아한다고 말했습니다. 그 이유를 묻자 "외로워서" 좋다고 했습니다. 혼자서 걷고, 가고 싶은 곳을 마음껏 갈 수 있는 것, 상 대방이 자신에게 어떠한 영향을 주지 않는 상태를 좋아한 다는 것이었습니다. 그렇게 작가님과 헤어지고 난 뒤 집으 로 돌아오는 길에 문득 외로워졌습니다. 저는 이 외로움을 어떻게 구워삶아 먹을까 고민을 하게 됩니다.

교수님의 추천으로 들어온 〈한남시정신〉에서는 각자의 외로움을 견디는 중이라고 말해주고 있는 것 같았습니다. 모두 다른 꿈을 갖고서 모인 이 자리가 더없이 소중했습니 다. 지금까지 나의 자리는 어디인지 계속해서 찾고 있었던 중일지도 모릅니다. 끝없이 쌓이는 A4 용지 앞에서 내가 있는 곳은 어딘지 허무해졌습니다. 그러나 이 〈한남시정 신〉이라는 세계가 나를 한 아름 안아 버리는 경험을 하게 됩니다. 혼자 외로워하지 말고 함께 외로워해 보자고요.

거의 억지로 쓰다시피 했던 시를 한쪽으로 치워두고 새 로운 시작 노트를 펼쳤습니다. 하얀 종이를 보니 다시 외 로워져서 무엇이든 쓸 수 있을 것 같았습니다. 엉뚱한 생 각들, 사소한 것을 적어 내려갔습니다. 빼곡하게 적힌 종 이를 넘길 때마다 새로운 세계에 안착하게 되었고, 내가 시적 화자라는 상상을 하면서 사소한 즐거움에 빠져들었습니다.

시에 대한 열정도 있겠지만, 사람들과 만남 자체가 더 좋았을는지 모릅니다. A는 외로운 사람, A 옆의 B도 외로운 사람 우리 모두 '외로움'으로 엮여 있다는 게 좋았습니다. 외로움 속에서 탄생한 시를 보고 합평하면 또다시 외로워지는 상황이 옵니다.

돌고래라고 외치면 세상이 하늘로 뛰어오르는 것, 푸른 뱀이라고 외치면 세상이 똬리를 트는 것. 펜을 드는 기울기에 따라 세상도 그리되는 것이라는 것을 배웠습니다. 그리고 앞으로 힘껏 외로워해야지, 다짐하게 되었습니다.

(김수진 21학번)

내 삶의 페이지

책을 읽을 때면 여러 가지의 감정들과 새로운 느낌들을 그리고 책으로 인해서 직접 경험해 보지는 못했지만, 간접적으로라도 책으로 인해서 느낄 수 있는 다양한 경험들로 인해서 저는 책을 읽는 것을 좋아했습니다. 책을 읽을 때면 왠지 우리가 사는 세계와는 다른 또 하나의 시간과 공간 속에 있는 것 같다는 느낌을 많이 받았습니다. 책도 에세이, 시, 소설 등 다양한 장르가 있었고 그러므로 장르마다 각자 가지고 있는 다양한 매력들에 빠져들게 되었습니다.

책을 읽다 보니 저도 제가 읽었던 책들의 작가님처럼 다른 사람들에게 새로운 느낌과 경험들을 전해주는 그런 글들을 쓰고 싶다는 생각을 하게 되었습니다. 그래서 시도 써보고 소설도 써보기도 하면서 다양한 글들을 계속 읽어보고, 때로는 저 자신만의 이야기를 써보기도 했습니다. 어떻게 하면 내가 전하고자 하는 감정과 느낌들을 제 글을 읽어주는 사람들에게 전할 수 있을지 고민을 하면서 글을 지웠다가 다시 쓰기도 하고 다시 한번 읽어 보면서 퇴고하기도 하고 때로는 책을 참고해서 읽으며 공부를 하기도 하면서 제 글의 고칠 부분이나 부족한 점을 찾아 고치기도 하면서 아주 작은 한 걸음일지도 모르지만 천천히 아주 조금씩 앞을 향해 나아가려 노력했습니다. 하지만 아직 너무 부족한 점도 많았고 배워야 할 점도 아주 많이 있었습니다.

그래서 저는 저의 관심 분야를 더 깊이 공부하고 싶었기 때문에 한남대학교 국어국문창작학과를 전공으로 선택하여 입학하게 되었고 다양한 전공 수업들을 들으면서 저의 전공 분야에 대해서 배우며 지식을 쌓아갔고 〈한남시정신〉이라는 동아리에서 활동도 하게 되었습니다. 동아리에서 활동하기 전에는 제가 쓴 시의 고칠 부분이나 부족한 점을 분석하고 찾는 것이 어려웠는데 동아리에 들어오고 활동을 하게 되면서 다른 학우님들의 시와 제가 쓴 시에 대해서 합평을 하면서 제 시의 부족한 부분들을 발견하고 고치면서 한층 더 성장할 수 있었습니다. 그리고 똑같은 주제로 쓴 시이지만 모두 다른 느낌과 색깔들을 가진 학우님들의 시를 보면서 제가 너무 틀에 갇혀 있다는 느낌을 받기도 했습니다. 어쩌면 틀에 갇혀 있는 저의 생각들을 깨고 새로운 생각과 도전들을 해보면 좋을 것 같다는 느낌을 받았고 저는 그 이후로 평소에 매일 보던 관점과 시선이 아닌 다른 관점에서 주변을 바라보기 시작했고 그러다 보니 좀 더 다양한 느낌과 생각들로 시를 표현하고 쓸 수 있게 되었습니다.

그리고 합평을 통해서 다른 학우님들의 생각과 의견을 들으면서 저는 이렇게 생각했지만 다른 학우님의 생각은 저와는 또 다르구나 하는 생각도 하게 되었습니다. 똑같은 시를 읽었지만, 그 시를 바라보는 시선과 관점, 생각, 느낌들이 학우님마다 각자 다르게 느끼기도 하고 어떤 부분은 비슷하게 느끼기도 하는구나 하면서 더 다양한 관점에서 시를 바라보게 되었습니다. 그리고 시를 쓰신 학우님의 생각을 들어보기도 하면서 이 부분은 이런 의도를 가지고 쓰셨고 이 시를 읽은 독자에게 어떤 느낌과 생각을 전해주고 싶으셨는지 그리고 제가 읽으면서 놓쳤던 부분들을 다시 한번 시를 읽어 봄으로써 알게 되어 매번 새로운 학우님의 시를 읽고 다양한 학우님들의 생각을 듣고 마지막으로 시를 쓰신 학우님의 생각을 듣는 이 시간이 저에게는 너무 알차고 소중했습니다.

혼자 자기 자신에 대해서 알고 부족한 부분을 찾아 고치는 것도 사람이 성장하는 방법의 하나라고 생각합니다. 하지만 저와는 또 다른 삶을 살고 저와는 다른 경험을 하고 다른 생각을 가진 사람을 만나게 되면서 자신이 가진 부족한 부분을 찾고 채우기도 하고 이처럼 한 사람의 생각과 삶의 일부분이 녹아 들어가 있는 시를 통해서 자신이 지금까지 느껴보지 못했던 느낌과 생각들을 통해서 저는 또 한번 성장 할 수 있다고 생각합니다.

꽃과 나무들이 서로 각자 다른 나라와 환경에서 서로 다른 방법으로 성장할 수 있는 것처럼 사람도 서로 다른 환경에서 각자 성장하기도 하고 때로는 누군가와 함께 성장하기도 하면서 사람들은 자신이 가진 부족한 부분들을 채우면서 성장해 나갑니다. 아직도 부족한 부분들이 많고 이 부족한 부분들을 살면서 다 채울 수는 없을지도 모르지만, 그 부족한 부분을 안고 살아가면서 그것을 채우려고 노력하는 그 한순간들이 절대로 잊지 못하고 마음속 아주 깊은 곳에 추억이라는 두 글자로 기억되지는 않을까 합니다. 노력하는 순간들이 매 순간 너무 소중하고 행복해서 때로는 힘든 순간도 있겠지만 그 순간마저 다시 생각해 보면 어두운 밤하늘에 온 세상을 밝게 비추는 달처럼 저에게 기억될 것이고 지금도 계속 사람들의 기억 속에 남아있는 고전 동화처럼 상대방의 마음속에도 영원히 기억될 것입니다.

〈한남시정신〉이라는 동아리를 통해서 다양한 주제로 시를 써보고 다른 학우님들이 쓰신 시를 읽고 합평을 나누면서 저는 아주 작은 씨앗에서 새싹으로 성장할 수 있었습니다. 아직 하나의 나무로 성장하기까지는 부족한 것이 너무 많지만 앞으로 더욱 노력해서 언젠가는 아주 큰 나무로 성장하는 날이 올 때까지 저는 앞을 향해 한 걸음 한 걸음 나아갈 것입니다. (박지수 21학번)

나와 시정신, 나의 시정신

시라는 건 무엇일까? 글을 쓰겠다고 다짐하기 전부터 나는 항상 생각했다. 시는 어떻게 쓸 수 있으며 하는 것을 떠나서, 시라는 것 자체가 내게는 낯설었다. 어느 것이 좋은 시이며 또 어떻게 써야 하는지, 나로서는 도저히 가늠되지 않았다. 시보다는 소설을 좋아했고, 내게 시는 항상 낯선 언어로만 보였다.

대학에 와서 시를 배우면서도, 솔직한 심정으로는 '왜 나는 시를 배워야 할까?' 하는 생각을 수없이 했다. 나는 시를 좋아하지 않고, 시를 잘 이해할 수 있는 능력이 있지도 않았고, 비유보다는 직접적인 화법과 문체를 가지고 있었기에 내가 시와 맞는 사람이라고 생각하지도 않았다. 내게 시는 항상 어려웠고, 단순해 보였기에 매우 복잡했다. 그것이 시의 매력이었지만 그 매력은 내게 벽으로 다가왔다. 시의 매력이 무엇일까. 나는 어떻게 시를 대해야 할까. 수업을 듣는 과정에서도 이 질문은 계속됐다. 아니, 그래서. 대체 시가 뭔데?

그러는 와중이었다. 교수님께 연락이 왔다. 시에 관련된 동아리가 생겼는데, 할 생각이 있느냐고. 처음에는 당혹스러웠다. 내가? 시를 잘 쓸 수 있을까? 잘 할 수 있을지에 대한 확신이 없었지만 동시에 '이건 기회구나.' 하는 생각이 들었다. 시를 조금 더 잘 알 기회.

동아리에 들어가기 전까지 가장 도움이 될 만한 것은 나의 시에 대한 합평이 되지 않을까 했다. 글이라는 것은 내가 생각한 대로 드러나기 마련이라고 여겼기에 단순히 나의 글의 단점만을 생각하고 동아리에 임해야겠다고 생각하지는 않았다. 중요한 건 "어떤 개선점이 제시되느냐"라고 생각했다. 그런 기대를 안고 들어간 동아리는 내게 확실히 도움이 되었다. 선배 시인분들은 내가 미처 생각하지 않았거나, 안일하게 넘어갔던 그 모든 것을 집어주셨다. 어떤 식으로 전개해야 하는지 등의 이야기를 해주시며, 내가 고민했던 부분들을 탁 집어 설명해주시는 과정들이 '전문가는 전문가구나' 하는 생각이 들게 함과 동시에, 시에 대한 내 생각을 재고할 수 있게 되었다. 나는 시를 너무 어렵게만 생각하고 있지 않았을까? 그리고 시를 너무 단순하게만 생각한 게 아닐까? 시는 무엇일까?

시는 내가 생각한 만큼 어렵지 않았고, 또 그만큼 단순하지 않았다. 짧은 내용 안에 모든 것이 담기게 하는 시도, 그것이 시였다. 내가 전하고 싶은 말을 모두 한데 압축해야 하며, 늘어져서는 안 되지만 설명이 부족해서도 안 된다. 그렇게 생각하고 나니 마음을 고쳐먹어야겠다 싶었다. 다른 학우의 시를 읽고 함께 합평하는 과정에서, 내게 부족한 것이 무엇인지, 모두가 또 실수하는 것이 무엇이 있는지 등을 보며 내게 시란 무엇인지 다시금 확인할 수 있게끔 해주었다.

글을 쓴다는 것은 수 없는 비유와 묘사의 상황에 갇히게 되는 것이다. 〈한남시정신〉 활동은 내게 그런 글에 대한 기초를 머리에 각인시켜주었다. 내가 글을 쓰려면 어떻게 하는 것이 좋을까. 어떻게 해야 사람들이 더 몰입할 수 있고, 상상할 수 있을까. 글에 대한 나의 원초적인 생각 자체에 있어 참 많은 깨달음을 준 활동이었다. 시가 무엇일까. 나는 어떻게 글을 써야 할까. 이 활동을 계속한다면, 언젠가는 이에 대한 해답을 얻을 수 있는 날이 오지 않을까. 그렇게 믿는다.   (박해빈 21학번)

불시에 찾아와 마음을 어지럽힌다

나는 시 동아리에 들어갈 생각도 하지 못했고, 시 동아리라는 기회가 내게 찾아올 미래도 상상한 적 없었다. 그만큼 기회는 정말 불시에 찾아왔고, 그런 기회 앞에서 난 순순히 손을 뻗을 뿐이었다. 계기는 교수님의 권유로부터 시작됐다.

학기 초, 교수님께 걸려온 전화로 〈한남시정신〉이라는 동아리를 처음 알게 되었다. 동아리에 들어오는 것이 어떠냐는 교수님의 전화를 듣고 처음 들었던 생각은 '나한테 이런 일이 일어나도 되는 건가.'였다. 그동안 내가 쓴 시들에 '시'라고 이름 붙여도 되는지 싶을 정도로 내 실력과 문학을 향한 내 애정 섞인 마음에 의문을 품고 있었기 때문이다. 그냥 동아리 하나 들어가는데 뭘 그렇게 유난이냐고 생각할 수도 있겠지만, 나 자신의 능력치를 많이 의심했던 때라 뭐 하나 시작할 때도 걱정부터 하고는 했다. 그렇게 영양가 없는 걱정들만 반복하다가 나는 '시'에 도전장을 내밀기로 했다. 시에 대해 아는 바가 하나도 없던 나였지만, 그렇기 때문에 오히려 남들보다 흡수할 수 있는 배움의 양이 더 많을 것이라는 이유 없는 자신감이 존재감을 드러내기 시작하는 순간이었다.

동아리의 주된 활동은 시 합평이었다. 그리고 가장 기억에 남는 활동도 합평이다. 그동안 '합평'이라고 하면 다른 사람들의 작품을 읽고 의견을 나누는 그 장면 하나만 떠올렸다. 합평을 준비하기 위해 시를 읽고, 그 시에 적힌 문장들에 어떤 의미를 담았는지, 어떤 의도로 이러한 표현을 썼는지 고민하면서 시를 분석하는 준비 과정들이 다 합평의 의미에 포함된다는 것을 알게 되는 데에는 그리 오랜 시간이 걸리지 않았다. 가장 신기했던 건, 누군가 내 시를 읽고 분석해준다는 것이다.

내 시의 합평을 처음 들었던 날이 떠오른다. 동아리 학우분들이 처음으로 합평해준 내 시는 이번 문집에도 수록된 「코끼리가 하는 말」이라는 시이다. 학우분들이 전부 지켜보는 앞에서 내 시를 낭독하는 순간은 정말 힘들었다. 이상하게 처음 시를 써서 제출했을 때는 그래도 열심히 썼다고 당당히 말할 수는 있을 것 같았는데, 왜 낭독하는 건 그렇게 힘들었는지. 그런 내 걱정과는 달리 학우분들은 이렇게 말씀해주셨다.

"개성이 돋보이는 시다."

내 시가 누군가에게 호평을 들었고, 나조차도 몰랐던 내 개성을 다른 사람이 알아줬다는 사실에 처음으로 합평에 재미를 느꼈다. 내 감상을 들으면서 다른 학우분들도 기쁜 감정을 느끼셨으면 좋겠다. 그러기 위해서는 시를 처음 읽으면서 느꼈던 내 모든 것들을 다 내보여야 하지 않을까. 합평을 듣는 시간은 항상 떨리지만, 떨림이 존재하기 때문에 설렘도 느낄 수 있는 것 같다. 시를 쓰고, 누군가의 시를 읽고, 합평을 듣고, 준비하는 모든 시간이 우리를 떨리게 만드는 순간들이길 바라는 마음이다.

(변우림 21학번)

시는 어디에나 있다

유선영

내가 나를 들여다보는 일

내가 문예창작학과 대학원 석사를 마치고 처음 다닌 직장은 개인 신발장이 있는 곳이었다. 신발장에는 자신이 존경하는 인물의 이름이 쓰여 있었다. 누가 어떤 칸을 쓰는지 서로 모른 채, 오로지 한 사람만 존경하는 인물의 속을 들여다보듯 매일 아침, 저녁으로 문을 열고 닫는 것이다. 그런데 존경이라니, 조금은 거리가 느껴지는 말 아닌가. 존경보다 사랑을 해보자. 나는 누구를 사랑하고 있는가.

내 칸에 윤동주, 세 글자가 쓰여졌다.

애초에 문예창작과에 입학했더라면 나는 어떤 진로를 결정했을까. 3학년 2학기, 조금은 늦은 감이 없지 않았지만 그랬기에 본과 필수 이수 학점을 어느 정도 채우고 문예창작과 수업에 더욱 집중할 수 있었다. 그야말로 학교 가는 일이 즐겁고, 수업 듣는 시간이 행복했다. 방학이면 10주간 좋은 시인을 모셔서 특강 개념으로 운영되었던 아카데미를 빼먹지 않고 수강했다. 하지만 4년을 꼬박 본과생으로서 공부한 친구들에 비해 이 과에서 내가 공부한 시간이 부족하다는 생각이 들었다. 학위가 필요한 것이 아니라 오직 공부하고 싶은 마음, 시 쓰고 싶은 마음에 대학원의 진학을 결심했다. 졸업 후 1년여 간 직장에 다니면서 이 마음에 확신이 들어 김민정 시인의 어느 시에서처럼, "시 쓴답시고" 다시 학교로 갔다. 2년 간 읽고 쓰기를 반복했다. 간절하게 투고하고, 간절한 만큼 상심도 많이 했다. 그렇게 학업을 마쳤다. 조금 더 학교에 남고 싶었지만 사는 일을 모른 체할 순 없었다. 등단하지 못했지만, 나는 어디서나, 무엇이든, 어느 정도 쓸 수 있다는 무기를 가지고 다시 한 번 사회에 발을 내딛었다. 이번에는, 곧 다시 돌아갈 거라는 다짐이 있어 전보다 덜 슬펐다. 계속 쓰기 위해 나는 사회에 나왔다.

내가 이 무기를 들고 사회에 나와 직장에 다니며 감사히 느낀 몇 가지를 꼽자면, 시를 쓸 수 있다는 것은 좋은 기획을 할 수 있다는 것, 그 좋은 기획력을 몇 개의 문장으로 풀어내 상대를 설득할 수 있다는 것, 그리고 그렇게 기획된 많은 업무들을 좋은 수단으로 홍보할 수 있다는 것이었다. 방송국에서 구성작가로, 홍보 에이전시에서 국가 부처의 연간 홍보물을 기획한 에디터로, 문화재단에서 문화예술행정가로 일하면서 현실적으로 느낀 '쓸 수 있음'의 강점이었다.

살고 살아가는 일

예컨대 예술인들의 공연예술창작거점 시설 조성에 앞서 시설 명칭 공모를 진행한 적이 있는데, 당시 기관의 임직원들도 암묵적인 의무처럼 공모에 참여해야 했었다. 수요자 조사와 임직원 투표, 그리고 상위 부처의 검토 결과, 나는 공모를 진행한 사업 담당자로서 당선되었던 다소 머쓱하지만 아주 뿌듯한 경험을 갖게 되었다. 습작하며 숱하게 작품 제목을 고민하고 인물을 명명했던 경험이 준 결과가 아니었을까. 뿐만 아니라 청년 예술인 대상 창작 역량강화 프로그램을 기획할 때, 단순히 '역량강화 교육'이라는 명칭보다는 '전통 너머 한걸음 프로젝트'라는 사업의 특성을 반영한 명칭을 활용해 대중에게 더욱 친숙하게 한발 더 다가가며 자연스럽게 사업을 홍보하는 효과도 톡톡히 보았다. 예술인의 창작활동을 지원하고 결과 발표 공연을 진행할 때, 역시 공연의 성격을 반영한 공연 명을 활용하는 등 업

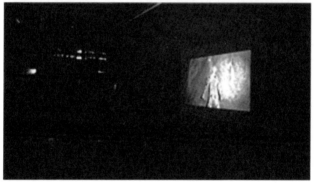

　무언가에 새롭게 접근하는 방법, 나만의 시각이 있다는 것, 새로운 무언가를 쓰고 만들어낼 수 있음은 정말 중요하다. 더욱이 수많은 문화예술기관에서 유사한 사업을 진행할 때, 사업담당자로서 나만의 색깔을 가지고 타 기관의 유사한 사업과 차별성을 가지기 위해 치열하게 고민하는 중이다. 현장은 생각보다 너그럽지 않고, 사업의 결과는 적나라하게 수치화되기 때문이다.

　공연, 축제, 전시, 교육 사업을 기획하고 운용할 때 학교에서 숱하게 들었던 '보편성과 특수성'을 적용하기 위해 애쓰고 있다. 학교에서 체득한대로 상대의 입장에서 상대를 이해하며 예술인과 소통하고, 보편적이지만 나만의 색이 묻어나는 특별한 공연과 전시를 올리려고 매일 욕심을 내고 있다. 현장 곳곳에서 수업시간에 보고 듣고 익혀온 것들이 적용된다.

무에 있어 함축과 상징, 비유나 은유를 쓰는 훈련 아닌 훈련을 해온 덕을 다방면으로 체감하고 있는 것이다.

많은 학부생들이 문예창작과를 졸업하고 등단해 작가로 활동하지 않는다면 어떤 진로를 결정할 수 있을지 고민할 테다. 사실 나는 무조건 등단해 시인 유선영으로 살고 싶다는 생각뿐이었던지라 진로를 고민하기보다는 전업 작가로서의 삶을 갈망했다. 그러나 이보다 현실적인 고민에 잠겨 있는 친구들이 훨씬 더 많다는 것을 잘 알고 있다. 많은 선배들 앞에 부끄러움을 무릅쓰고 이 글이 실릴 『한남시정신』 문집을 펴내고, 또 이 문집을 읽고 있을 많은 후배들에게 힘을 실어주고자 말하자면, 언제 어디서 무엇이든 쓸 수 있다는 건 정말 강력한 무기를 가진 것임을 알고 어디서나 자신 있게 출사표를 던졌으면 한다는 것이다.

그뿐이겠는가. 졸업하고 학교에서 만난 친구들과 이야기 나눌 때면 모두가 입 모아 하는 말이 있다. "그래도 문창과 출신이라 우리는 대화할 수 있고, 이해할 수 있잖아." 다른 학과생들이 대화가 안 되고 이해심이 부족하다는 말이 아니다. 다만, 우리는 여러 등장인물이 되어 작품을 직접 써보기도, 다양한 작품 속 등장인물이 되어 그 상황을 해석해보기도 했으니까, 더 공감할 수 있고 더 이해해볼 수 있는 사람들이라는 뜻이다.

부산으로 문학기행 떠났던 2015년 가을. 10월의 마지막 날 송정해수욕장에서. 하루빨리 일상이 복귀돼 문예창작학과 재학생 모두가 이러한 경험을 누릴 수 있 길 바란다.

결국, 가장 사랑하는 일

　외국의 유명한 사진작가, 작곡가, 디자이너 이름 사이에
나는 윤동주, 세 글자를 써놓고 매일 내 스스로를 들여다보
았다. 사실 시 쓰다 말고, 일하는 상황이 싫기도 했다. 출퇴
근할 때, 신발을 넣고 꺼내면서 '멀리 가지 않으면 되니까,
괜찮다'고 스스로를 다독였다. 사나이를 미워하다, 가엾이
여기다, 되돌아가 다시 바라보다, 그리워한(윤동주, 「자화
상」을 짤막하게 가지고 왔다.) 한 청년의 마음이 오롯이 나

에게 덧입혀졌다.

많은 일상이 단절되고, 차단되고, 그리하여 견뎌내야만 하는 삭막한 날들이 계속되고 있다. 타인에 대한 배려와 이해가 결여되지 않도록 우리는 읽고 쓰는 일을 계속해야한다. 읽을수록 외롭지 않고, 쓸수록 이해할 수 있다. 언젠가 선영이 있다 사라진 자리에서 문득 선영을 떠올리는 사람들의 이야기를 쓸 생각이다. 어디에나 선영은 있으니까. 누구나 선영이니까.

두런두런 모여 앉아 합평하고 막걸리를 마시고, 그러다 술에 취해 네 시 이상하네, 내 시가 낫네 하면 싸우다 서로의 꿈이 얼마나 소중한지 너무 잘 알아 함께 울던 날들이 그리운 오늘이다. 얼굴 마주하고 인사 나눈 적 없지만 우리는 문예창작과라는 귀한 연대를 함께하고 있으니까, 언제 어디서든 서로가 써내려갈 커다란 꿈의 서사를 응원했으면 한다. 우리들의 모든 순간이 시다. 시를 사랑하면 시는 어디에나 있다.

유선영

문예창작학과 대학원 석사 졸업. 전 TJB 구성작가. 전통공연예술진흥재단 근무. 현재 종로문화재단 재직.

한남시정신 편집을 마치며

권영훈(편집장)

한 권의 책을 만드는 일은 어쩌면 하나의 마음을 만드는 일인지도 모른다. 전공수업을 들으며 과제로 제출한 시를 보신 교수님의 추천을 받아 영광스럽게도 〈한남시정신〉 동아리에서 활동하게 되었다. 같이 활동하게 된 동아리원들과 매주 온라인으로 다 같이 모여 〈한남시정신〉에서 서로의 시를 읽고 감상하며 각자의 마음을 나누고, 감성을 사유하며 향유할 수 있는 값진 시간을 보내왔다. 내가 생각하지 못하는 지점들을 학우들에게 들어볼 수 있었고 그들의 작품을 읽고 보며 그들의 문학 세계에 빨려 들어가기도 했다. 이러한 활동을 중심으로 이어가던 중 〈한남시정신〉을 대표할 수 있는 동아리 문집 제작과 편집에서 편집장이라는 직책을 맡게 되어 사명감 혹은 나름의 책임감을 갖고 참여하게 되었다.

나의 글만이 온전하게 담기는 것이 아니라 〈한남시정신〉에서 활동하는 모든 학우들의 시를 담는다는 것이 사실 시를 배우고 있고 더 배워야 하고 스스로를 부족하게 생각하는 나에게는 부담스럽고 다소의 걱정이 앞선 것도 사실이었다. 그러나 한 편씩 작품을 받아 정리하면서 내가 아닌 다른 사람의 시를 읽는 것이 정말 소중하게 여겨졌다. 각자가 말하고자 하는 이야기들, 각자가 세상에 외치고 싶은 말들, 거창하지만 분명 소박한 시들, 차갑지만 따뜻한 마음을 담아내는 것은 나이를 떠나 살아가면서 어쩌면 흔하게 경험할 수 없는 값진 경험이자 행복한 일이 아닐까 싶은 생각이 들었다.

또한 〈한남시정신〉에서 활동하는 학우들과 회장단 그리고 졸업하신 선배님들과 등단하신 선배님들 그리고 우리를 묵묵하게 이끌어주시는 교수님의 열정과 노력은 내게 매 순간 좋은 자극이 되고 문학 활동을 하면서 지치지 않을 수 있는 원동력으로 다가왔다. 〈한남시정신〉 활동을 하면서 좋은 영향을 받아오고 있는 학생으로서 이번 문집 편집에 참여하게 된 것에 감사함을 느낀다. 앞으로도 〈한남시정신〉에서 시와 문학에 대한 열정을 느끼며 한 명의 학생으로서 그리고 작가를 꿈꾸는 사람으로서 더욱 책임감을 갖고 임해야겠다는 다짐을 해본다.

한남시정신 1

2021

펴낸날 _2021년 10월 1일

펴낸곳 _한남시정신

　　　　　회장 박영미　　　부회장 김도경

　　　　　사무국장 권영훈　　재무국장 김수진

편집위원 _ 변우림 최수영

편집 _정우석

주소 _ (34430) 대전광역시 대덕구 한남로 70

　　　　한남대학교 국어국문창작학과 내 한남시정신

전화 | 042-629-7311, 7800

전송 | 0507-075-2874

전자우편 | hnsj2021@hanmail.net

ISBN 979-11-89282-33-2　　03810

값 10,000원

* 본지는 한국간행물윤리위원회의 도서잡지윤리강령 및
잡지윤리실천요강을 준수합니다.